ゼロからの手づくり就農物語

わたしがあぐりびとになるまで

いいだかなこ

野草社

はじめに

筑波山《つくばさん》の北東約二〇キロ、周囲をなだらかな山々に囲まれ、今もなお穏やかな古きよき里山の風景を残す茨城県八郷町《やさとまち》（現石岡市）。二〇〇九年には「にほんの里一〇〇選」にも選ばれた、自然あふれるのどかな町です。

東京から八〇キロほどしか離れていないにもかかわらず、まるであわただしい都会とは異なる時間の流れが存在しているかのように、町のあちこちには昔ながらの茅葺《かやぶ》き屋根の民家が残り、初夏にはたくさんの田んぼで美しいほたるの飛び交う姿が見られます。

起伏に富んだ地形と豊かな自然を生かして、昔から養豚や養鶏、酪農などを含む農業が盛んに行われてきた土地には、陶芸家や木工家、ログビルダーや染色家、画家や物書きなど、この美しい景観に惹かれ移り住んできた人々が点々と工房を構え、さまざまな活動が行われる「ものづくり」の集う地域ともなっています。

そして、家畜を飼い、そこから得る有機物や山の落ち葉を田畑の養分として循環させる「有畜複合」の農業形態が古くから営まれてきたという土地柄を背景に、この地には現在、多くの若き新規就農者が移住し、農薬や化学肥料に頼らないやり方で作物を育てる、全国でも有数の有機農業の活発な町として、八郷はその名を広く知られつつあります。

若かりし頃、それぞれの海外一人旅の途中で知り合ったわたしと夫は、初めての子どもを授かったことをきっかけに、生まれてくる子がのびのびと暮らせる環境で自分たちらしい生活を始めようと決め、長期滞在を続けていた南米ペルーから日本へと帰国しました。

お互いの実家がある東京を離れて移住する先の候補となったのは、わたしが大学を卒業してからの数年間、製陶の窯元で焼きものづくりの修業生活を送った茨城県笠間市の周辺。もうすぐ第一子が誕生するという状況に追われるように住む場所を探し、数カ月の紆余曲折の末、ようやく貸してもらえることとなった笠間市南部に隣接する八郷北端の土地は、奥まった集落からさらに未舗装の道を上ったところの、電気も水道も通わず、住む人もない山の中でした。

移住が決まった当時、わたしは初めての出産、子育てで精神的にも物理的にも精いっぱい。一児の父となり、自分の稼ぎで家族を養っていかねばならない夫は、自力で斜面を開墾し、そこへ古い材木を利用しながら独力で家づくりを始めるとともに、荒れ果てた休耕地を鍬《くわ》一本で耕し、ほとんど未経験の状態から、農薬や化学肥料などをいっさい使わない野菜づくりを始めました。

わたしは慣れない環境にとまどい、実家のあった住宅街での「近代的」な暮らしと、新たに始まった「何もない」暮らしの狭間で、自分の中の価値観が大きく揺らぐのを感じながら、野菜の出荷にまつわる事務などを担当し、初めての出産後の育児期間を、極端に不便な山の中で過ごしました。

そうしてこの山での月日は流れ、第二子を授かり、その子が二歳になった頃に古い知人の協力のもと、わたしはなんとか小さな窯を手に入れ、焼きものの仕事で独立を果たし、家の片隅で器をつくってお祭りに出店したり、お店に卸したりするようになりました。

わたしがここでの生活を通じて感じてきたこと、とまどったこと、苦しんだこと、喜びを感じたこと……。このわたしたちの移住・就農にまつわる記録を読んでいただくことが、ほかのどなたかにとって「わたしのしあわせ」を感じるヒントになるなら……。

そして、自らの意志でこれからの農業との関わり方を模索し、この八郷に自らの決意で移住・就農した先駆けの農家や若い世代の農家の声をお伝えすることで、有機農業者のリアルな姿を知っていただくきっかけとなるなら……。

そんな思いとともに、この山に暮らし始めたわたしたちのお話を始めたいと思います。

目次

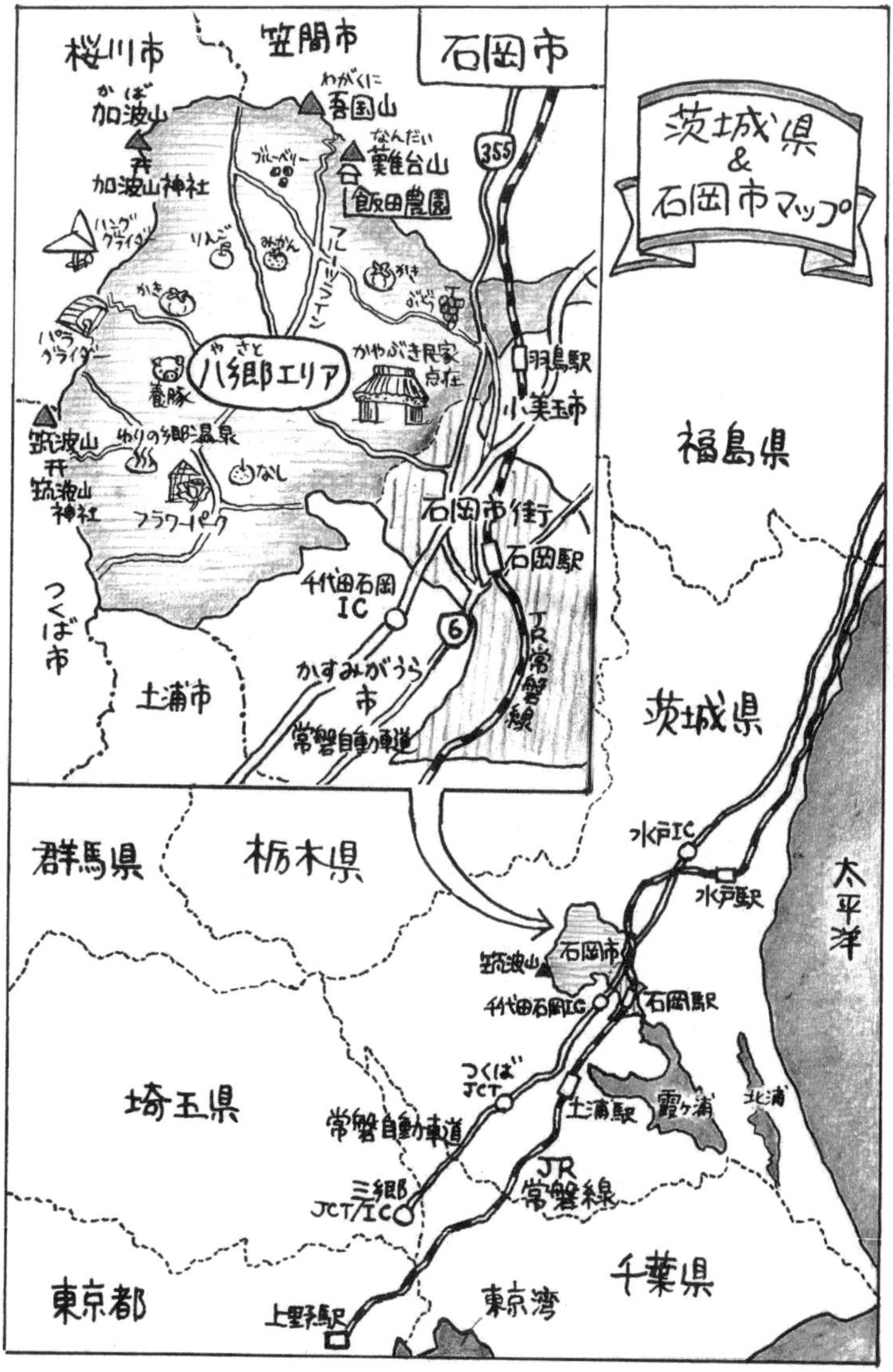

茨城県
&
石岡市マップ
石岡市
桜川市
笠間市
加波山《かば》
加波山神社
ハンググライダー
パラグライダー
吾国山《わがくに》
難台山《なんだい》
飯田農園
ブルーベリー
りんご
みかん
かき
ぶどう
フルーツライン
355
羽鳥駅
小美玉市
八郷《やさと》エリア
かやぶき民家点在
養豚
筑波山
筑波山神社
ゆりの郷温泉
なし
フラワーパーク
石岡市街
石岡駅
千代田石岡IC
6
JR常磐線
かすみがうら市
常磐自動車道
つくば市
土浦市
福島県
茨城県
群馬県
栃木県
水戸IC
水戸駅
太平洋
筑波山
石岡市
千代田石岡IC
石岡駅
つくばJCT
土浦駅
霞ヶ浦
北浦
埼玉県
常磐自動車道
三郷JCT/IC
JR常磐線
千葉県
東京都
東京湾
上野駅

I

飯田農園誕生物語

プロローグ　峠のわが家

大きな空とゆるやかに連なる山並みを遠くにのぞみ、広々とした盆地に目を落とせば、緑濃い木立と小さな集落が点在し、豊かな水田が青々と広がる八郷エリア。その北端、焼きものの街・笠間市との境を有する難台山《なんだいさん》の中腹に、わたしたちの住む小さな山小屋はあります。

家族四人と犬一匹、ヤギ一頭に鶏数羽。手づくりの家、手づくりの器、手づくりの米に季節ごとの野菜、そして季節がめぐるたびに訪ねてきてくれる昔なじみの旅の友人たち。ここでの暮らしはとても不便で、とても質素。身近にある自然は時に美しく、時に荒々しく、絶えずわたしたちの生活を彩っています。

この山に暮らすことを決め、苦しかった移住初期の数年を経て、この暮らしからわたしたちが得てきたものはなんだろう、とわたしはよく考えます。

食すること、暮らすこと、新しい命と生きること。旅したこと、仲間のこと、人と人との出会いのこと、それぞれの人生のこと……。この山暮らしが始まってから、わたしはここでずいぶんいろいろなことを感じてきたのだと思います。

わたしは今ここで、自分の人生を生きています。誰のものでもない、わたしだけの、一度きりの人生。しあわせの基準は人それぞれ違う。それが「価値観」なんだと思います。わたしはこの暮らしの中で、何度も何度も、そのことを考えました。しあわせに生きるって、なんだろう。わたしのしあわせって、なんだろう。

電気も水道も何もない真っ暗な山の中、遠くに見える小さな町の灯を心細い思いで見つめながら。手伝いに来てくれた旅の仲間が、ネオン輝く東京へ帰っていく、その車のテールランプを見送りながら。

献立を考えて買い物に行くのではなく、その時採れた野菜で毎日の食事をつくることに慣れようと努力しながら。お金をもって店へ行けなくても、粉と砂糖と卵とバターを混ぜてオーブンに入れたら、何もなかったところにいいにおいのするお菓子があらわれることにかぎりない喜びを感じながら。

凍えるような冬の夜、家の外のトイレの上に広がる、たくさんの星がきらきらと輝く澄んだ夜空を見上げながら。

わたしはいつも、しあわせについて考えていました。

農業を知らず、街中で育ったわたしが、いったいどうしてこんな山の中で農との暮らしをすることになったのでしょう。思い返せば、この暮らしへといたる道は、その昔、わたしが二〇歳で南米へと旅立った時からすでにこの場所へと続いていたのかもしれません……。

第1章

旅の途上で

出会い

一九九四年の秋、わたしたち夫婦は南米ペルー、アンデス山脈山中の古都クスコで出会いました。

かたや初めての海外、初めての一人旅、言葉も地理もおぼつかないながら、アンデスの遺跡と中南米の焼きものに強い興味をもって旅に出た二〇歳の学生がわたし。対して、すでに四〜五年は一度も帰国せずに世界をさすらい続けているという筋金入りの二七歳バックパッカーが、のちに主人となるコージさんでした。ご存知のように、バックパッカーとは、荷物を背中の大きなリュックにつめこんで個人で旅行をしている人たちのことです。

わたしにとって長い間憧れの地であったクスコは、ペルーの首都リマから空路で一時間ほどの距離にあるアンデス山脈山中、標高約三四〇〇メートルの高地にある小さな美しい街。

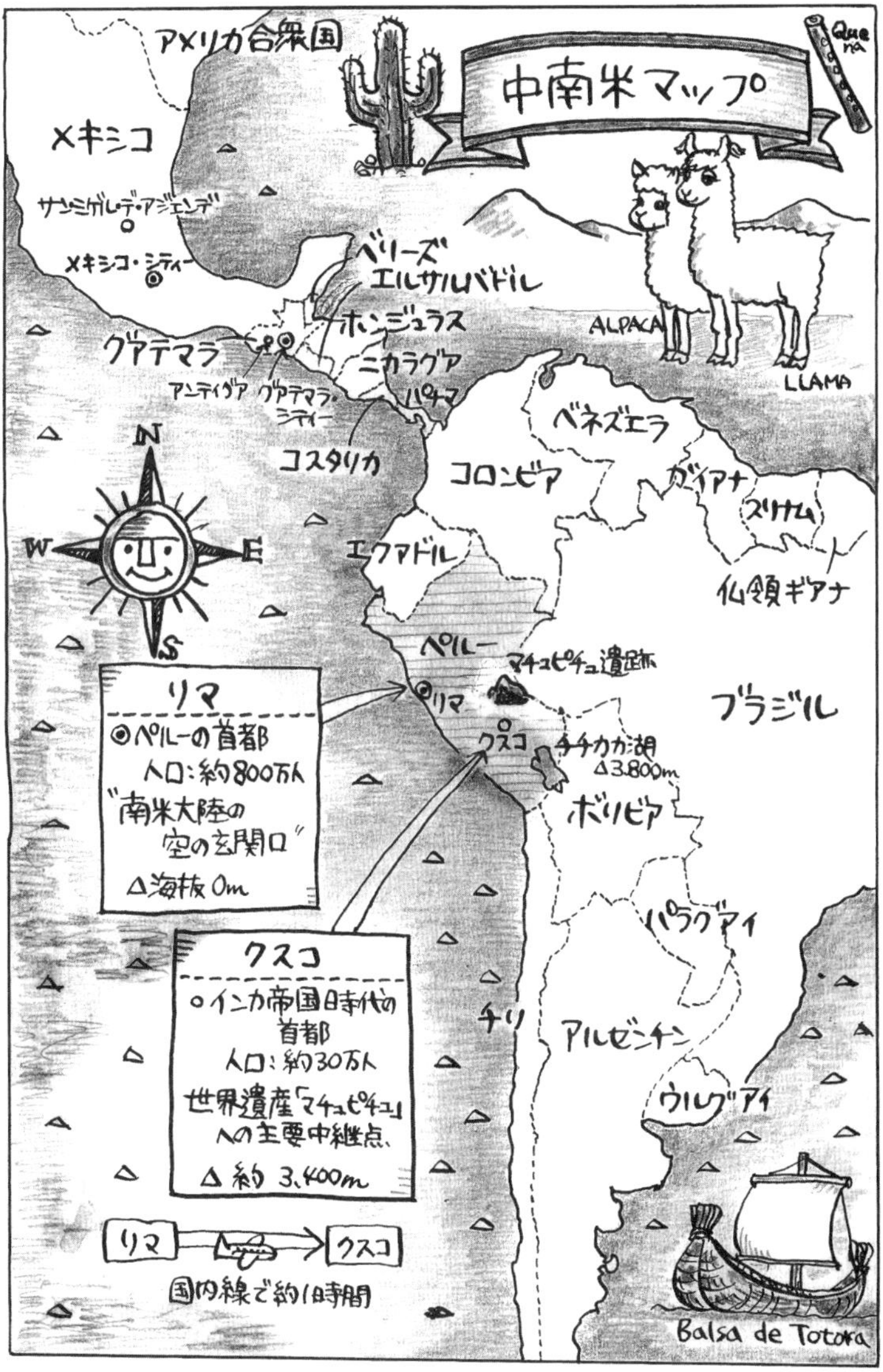
中南米マップ
Quena
アメリカ合衆国
メキシコ
サンミゲル・デ・アジェンデ
メキシコ・シティー
ベリーズ
エルサルバドル
ホンジュラス
グアテマラ
ニカラグア
アンティグア
グアテマラ・シティー
パナマ
コスタリカ
ALPACA
LLAMA
ベネズエラ
コロンビア
ガイアナ
スリナム
仏領ギアナ
エクアドル
N
W
E
S
ペルー
マチュピチュ遺跡
リマ
ブラジル
リマ
◎ペルーの首都
人口：約800万人
"南米大陸の
空の玄関口"
△海抜０m
クスコ
チチカカ湖
△3,800m
ボリビア
パラグアイ
クスコ
○インカ帝国時代の
首都
人口：約30万人
世界遺産「マチュピチュ」
への主要中継点
△約 3,400m
チリ
アルゼンチン
ウルグアイ
リマ
クスコ
国内線で約１時間
Balsa de Totora

石畳と漆喰《しっくい》塗りの白い壁、赤褐色のかわら屋根が、街全体を一つの有機物のようにかたちづくり、ひんやりと乾いた空気と強い日差しの中、青い空には真っ白な雲がぽっかりと浮いて、周囲を囲む山肌にくっきりとした影を落としています。

家づくりに使われるのは、アドベと呼ばれる日干しレンガ。しかし、街の中心部にある古い家々の土台には、インカ文明時代の堅牢な石組みがそのまま使われていることも多く、その中には、「カミソリの刃一枚通さない」と評される精巧な石組みもあって、遺跡の中にかぎらず、街のあちこちで、独自の建築技術を誇ったインカ文明の叡智の名残りを垣間見ることができます。

街そのものが大きな遺跡であるともいわれるクスコは、北はエクアドルから南はチリまでという広大な領土を誇ったインカ帝国の首都であり、現在の街の中心であるアルマス広場も、インカ時代からワカイパタと呼ばれる広場であったそうです。

市街地とその近郊にはたくさんの遺跡が点在しています。精緻なインカの神殿の石積みの上に、スペイン征服後、キリスト教の教会が建てられたという、インカ建築とヨーロッパ建築の二重構造からなる太陽神殿コリカンチャ（現サント・ドミンゴ教会）、大きな岩の石積みが巨大なジグザグ模様を描く要塞サクサイワマン、内部の洞窟でミイラをつくっていたともいわれ、その表面にびっしりと謎めいた宗教的な彫刻の施された岩山ケンコー、赤い砦という意味をもち、帝国の首都クスコへと入る際の関所の役割を担ったというプカ・プカラ、灌漑《かんがい》技術にすぐれたインカの

リャマを連れた少女と。クスコの街角で

人々の手による精巧な石組みでつくられた王族のための沐浴場《もくよく》で、当時と同じ水源から現在も途絶えることなく清らかな水が豊かに流れ出すタンボ・マチャイなど、日帰りできる市内観光だけでも多くのインカ時代の遺跡を訪れることができます。

クスコ全体を見下ろすことのできる小高い丘の上に立ち、広い空となだらかな山々に囲まれた褐色の街を眺めていると、標高三〇〇〇メートルを超えるアンデス高地の真ん中にありながら、インカ帝国の都であった昔から時を経て今もなお、途絶えることなく訪れる人々を迎え続けるクスコには、時代を問わず、人々を惹きつける磁場のような力が存在するのではないかと、わたしには思えてなりませんでした。

街角にはアンデス特有の動物、澄ましたような顔つきのリャマやアルパカがつながれ、それらを連れた人々のまとう、赤やオレンジなどさまざまな色の糸が織り合わされた昔ながらの民族衣装の色合いが、褐色の街に鮮やかな彩りを添えています。

あちらこちらの店先の音の割れたスピーカーから聞こえてくるのは、時に物悲しく時に力強いフォルクローレの調べ、そして陽気な大衆ラテンミュージック。石畳の上の市場のにぎわいの中には、古い揚げ油と燃料の灯油の混ざったにおい、道端に捨てられた果物の皮の放つすえた甘いにおいが、人々の活気とともに漂っています。

わたしとコージさんが出会ったのは、そんなクスコの街で日本人のご主人が経営しているペンションで、わたしたちは同時期の滞在者同士でした。世界中のあちこちに、日本人宿と呼ばれる小さなホテルが点在していて、その多くは、現地に住みついた日本人やその家族によって経営されており、日本語が通じ、新鮮な情報が手に入り、手ごろな料金で宿泊できることから、多くの長期旅行中のバックパッカーが訪れる場所になっています。

わたしは当時、二〇歳の学生で初めての海外、初めての一人旅、しかもめざすのは日本から見て地球の裏側、治安も決していいとはいえないペルーでしたから、航空チケットを買った東京の旅行代理店でも「初めて海外に出る女の子が一人で歩けるようなところではない」などと散々おどされていて、ホテルも日本で決めて、必ず予約を取るように言われていました。

もちろんそう言われなくても、どのみち当時のわたしに現地で宿探しができるような語学力や度胸があるはずもなく、自分でも、まずは旅行代理店を通じて飛行機が着く首都リマのホテルの予約を取ってもらい、クスコでは、旅行情報誌で調べた日本人宿にまっすぐ行くという、できるかぎり安全な道をたどろうと決めていました。

こんなルートは旅慣れた旅行者にすれば安全・安易なことこのうえないのですが、それでもわたしにとっては、一人で言葉もわからない南米に行くというただそれだけで、人生をかけた立派な大冒険でした。

成田を飛び立ち、ロサンゼルスでの乗り継ぎを経てリマにたどりついたのは、夜もとっぷり暮れた頃でした。しかし、そこは静寂とは無縁の南米屈指の大都会。重い荷物を背負って一歩空港を出れば、煌々《こうこう》とオレンジ色の照明がともるターミナル周辺は、夜遅い時間にもかかわらず、観光客目当てのホテルの客引きやらタクシー運転手といった人々からなる黒山のような人だかりで、彼らの発するギラギラとした強引な活気にあふれていました。

まさに右も左もわからない、スペイン語はおろか英語さえおぼつかない状態のわたしは、その熱気に押されながらも、人ごみの中、旅行代理店が予約しておいてくれたペンションの名を大声で叫ぶ男性に遭遇し、彼の案内で乗り合いの小型バンに乗せられて、どうにか宿までたどりつくことができました。

ところが、わざわざ日本から予約を取っていったその宿は、日本人の名前を冠していたものの、ふたを開けてみれば日本人の経営ではなく、したがって日本語もまったく通じず、なんの情報も得られないまま初めの二、三日を、ただ寝泊まりしただけでした。リマ発の国内線に乗ってクスコに到着し、当時クスコ唯一の日本人宿であった「ペンション花田」に着いて、今度こそ本当に日本語で会話ができる環境だとわかると、わたしはようやく一安心することができました。

日本人宿というのは、旅行者の間でも好き嫌いの分かれるところで、せっかく海外旅行に出たのに、日本人ばかりがいるホテルに宿泊するなんてつまらない、という意見の旅行者もいれば、そこにたむろする長期旅行者たちの一種独特な雰囲気になじめないという人もいます。

しかし、一人で異国を旅していると、体調を崩したり、日本食が恋しくなったり、日本語で誰かと無性にしゃべりたくなったりすることも多いものです。そんな時、日本人宿は、自分のコンディションとその時の宿の状態との相性さえよければ、時に旅の緊張をほぐしてくれ、心と体を休めることができるオアシスのような場所に感じられることもあります。そして、旅に出ずしては決して知り合えなかったであろう個性あふれるさまざまな仲間たちとの出会いの場にもなりえます。

それはもちろん、経営者の個性や、その時に滞在しているメンバーとの相性によるところが大きいため、同じ宿でも滞在者によって評判がまちまち、というのはよくあることで、クスコのペンション花田もまさにそんな日本人宿の一つでした。

ペンション花田

ペンション花田は、クスコの街の中心であるアルマス広場から石畳の急な坂道を五分くらい上ったところにあり、やはりかつては旅人であった経営者・花田さんの、クスコ出身の奥さんの大きな実家を一部改造してつくられた宿でした。

アルマス広場から続く、角が丸くすり減った石畳の坂道をたどって、アルコイリス（スペイン語で虹の意）という名の急坂を上り、そこからさらに塀にはさまれた細い脇道を右へ入ると、その道の中ほどに、白い土壁に埋めこまれたように入口の扉があります。ペンションであることを示す表示などはとくにありません。

人の背よりもずっと大きな、こげ茶色の厚い木の扉の横にあるブザーを押すと、犬の吠え声とともに人の近づいてくる気配がして、重い扉の一部のくぐり戸が開きます（扉を開けてくれるのは、宿の家人の時もあれば、滞在している旅行者の時もあります）。すきあらば外へ出ようと待ち構えている宿の飼い犬を押さえつけながらそのくぐり戸を通り中に入ると、中南米特有のパティオと呼ばれる中庭に出るのでした。

この、塀の中に中庭をつくるという建築様式は、もともとスペイン統治時代にヨーロッパからの影響を受けたもので、中南米では今もよく見られます。いつも閉じられている塀の扉が偶然開いていて、内部の中庭に草木が茂り、異国の花々が色とりどりに咲き乱れる様子を見かけた時などは、無表情な板塀の外観からは想像もしていなかった空間の広がりに、わたしはいつもはっとして、子どもの頃に読んだ『秘密の花園』の塀に閉ざされた花園を連想したものでした。

そんな中庭がやはりペンション花田の内部にもあって、その中庭の塀沿いには、すり減ってはいるものの、磨かれてつややかに光った大きな木造の階段があり、母家となる建物の二階部分へと続いていていました。

二階の入口には上半分に素通しのガラスが入った白いペンキ塗りの木のドアがあり、それを開けるとさらに左手に向かって木製の廊下が続いていて、その廊下の右側の壁には客室のドアが二つ、左側の壁には中庭を見下ろすガラス窓が並び、そこから明るい日差しが差しこんでいました。

そして客室側の壁際には本棚と、その向かいに大きなソファが置かれ、宿泊客は誰でも、日本語の本が自由に読めるようになっていました。新しく到着した旅行者がまず通されるのは、日当たりのいい小さなリビングルーム。そこには狭いながらも真ん中のテーブルを囲むように椅子やソファが並べられ、小さなテレビとビデオデッキ、歴代の旅人たちが書き残した宿帳や情報ノート、常時お湯の入ったポットと、インスタントのコーヒーと紅茶、それから、アンデス地方の特産物であるコカの葉が用意してあり、好きな時に各自でお茶を淹《い》れてくつろぐことができるようになっていました。

コカの葉で淹れるコカ茶とは、古くからアンデス地方で飲み継がれている伝統的なお茶で、日本でいうなら人々と生活をともにする緑茶のような存在です。いくぶん青臭いような香りのするその葉には、鎮静・鎮痛効果や疲れをとる効能があるとされ、頭痛など高山病の症状をやわらげることから、クスコなどアンデス高地にあるたいていのホテルでウエルカムドリンクとして用意されています。

旅行者はまずそこでコカ茶などを飲みながら宿泊についての説明を受け、古びた宿帳にパスポートの番号と名前を記入すると、自分用のシーツをもらい、割り当てられたベッドのある部屋に案内されます。

二階にある女性用の部屋には、がっしりとした木製のベッドが三つ置かれていて、クスコの街並みを見下ろせる窓には物語に出てくるような木の鎧戸《よろいど》がついていました。

ペンション花田は、いくつかのベッドが置いてある部屋を何人かでシェアするドミトリータイプの宿で、女性用の部屋が一つといくつかの男性の部屋に分かれていました。女性用の部屋が少ないのは、女性のバックパッカーが男性にくらべて少ないからで、男性のベッドがいっぱいになると、女性部屋の空いているベッドのマットレスが運び出されて、男性部屋の床に敷かれたものでした。

南米は日本から遠く、英語が通じる地域も少なく、治安もよくないところが多い、いろいろな意味でハードな環境なので、初めての旅で南米に来たというような人はまれで、宿泊客はすでにたくさんの国をまわってきたという経験豊富な長期旅行者ばかりでした。

長期滞在者たち

当時の花田には、二〇代後半くらいの個性的な長期旅行者が大勢滞在していて、それぞれが思い思いに南北アメリカ大陸の長旅を続けている途中でしたが、美しく、比較的治安もよいクスコに滞在が長引き、たまたま気の合う旅行者同士がそろっていたせいもあって、なかばペンションに住み着いてしまったような状態になっている人が何人もいました（バックパッカーの間でその状態は「沈没」と呼ばれます）。

男女とりまぜた、さまざまな個性をもった滞在者の中でも、サラサラした長髪、端正な顔立ち、長期旅行者にはめずらしいくらいおしゃれなコージさんの第一印象は、「スマートで世慣れた都会のお兄さん」。よく言えば素朴な、悪く言えばパッとしない比較的まじめな大学生だったわたしにとって、出会った頃の彼は、うわついた、まったく違う世界の住人、といった印象でした。

ユニークな古着で仮装する宿の滞在者仲間（一番左がわたし）

　しかし、クスコの日本人宿という環境に長期滞在しながら同じ時間を過ごすうちに、ノリがよく、楽しいことが大好きで、一見軽薄に見えるほどソフトなその「遊び人風」の外見とは裏腹に、その中身は意外にも家族思いで、エネルギーにあふれた、誠実な人柄であることがだんだん理解できるようになると、まったく異質の人間同士に見えたわたしたちは、いつのまにか、長く一緒の時間を過ごすようになっていました。

　旅慣れた彼から見たら、初めての海外旅行でいきなり南米を訪れたわたしは、ずいぶん頼りない存在に見えたことだろうと思います。反対にわたしには、何ごとも本気で楽しむ行動的な彼といることで、とりとめもない思索にふけりがちな自分の人生まで明るく日に照らされていくように感じられていました。

当時はリビングルームの奥の小さな流しで自炊ができるようになっていて、料理上手な長期滞在者が、希望者をつのって材料費を徴収し、まとめて夕飯をつくってくれたりしていました。

クスコは標高が高いため、料理をするにもそれなりの経験が必要で、とくに、圧力鍋を上手に使いこなせないことには、決しておいしい白米を炊くことはできません。気圧が低く、したがって沸点も低いため、圧力をかけなければ、パスタや米には芯が残るか、芯までやわらかくしようとすると全体がべちゃべちゃになってしまうかのどちらかです。ふっくらとした、しかも下のほうまで焦げついていないおいしい白米が食べたければ、水分・火力調整と加圧時間、圧力を抜く時間の兼ね合い……などを推し量るそれなりの経験、または高度な直観力が必要とされるのです。

もちろん炊飯のための決まったマニュアルなどありませんし、ペンションのペルー製圧力鍋に、日本の炊飯器の内釜にあるような便利な水位表示などあるはずもなく、市場でどんな米を買ってくるのかによっても、その都度水分量は変わります。加えて、その日宿にどれくらいの人数の滞在者がいるのかによって、炊く米の量も変わります。炊く人によって火の加減もまちまちで、まずは強火で何分、次に弱火で何分、とかいうそれぞれの持論がありました。

夕食当番をまかされ、みんなの夕飯を準備するという責任をしょって、まずいご飯を炊いてしまっては一大事。しかも、クスコで普及しているガスコンロは、たいていがガス栓を開くと同時にマッチやライターなどで火をつけるタイプが多く、これが慣れないうちは大変おそろしい作業に感じられ、クスコでおいしいご飯を炊くことは、わたしにとっておいしい夕飯のためのもっとも緊張する仕事であるうえに、コンロも圧力鍋もいつ暴発するかと、初めの頃はいつもおっかなびっくり料理していたものでした。

みんなが顔をそろえる夕飯時は、それぞれの滞在者が顔を合わせる時間で、新しく訪れた人がみんなに紹介され、すでに何日かを過ごしている滞在者も自己紹介などして食事が始まります。「どこから来たの？」というのが、だいたいまず初めの質問になります。すると、どこの国を通って、どんなルートでクスコに来た、とかいう話になるのですが、飛行機に乗ったのさえこの旅が初めてというわたしは、どこから来たのと聞かれても、なんと答えていいのかよくわからず、「えーと、日本からです」とかなんとか言ったような気がします。

こうしてクスコに着いて周囲の人たちとともに花田に滞在するうちに、わたしは、長い間探していた自分の居場所にやっとたどり着いたような安心感と心地よさを感じていました。まわりの人に違和感を感じず、自分が本当の自分らしく感じられました。偶然か、縁あってか、とくに気の合う人同士が集まっていた時期だったのだと思います。わたしは結局、帰りのチケットを捨てて滞在を延ばし、一カ月の予定だった旅が終わったのは、三カ月後のことでした。

その初めての南米旅から帰国した翌年、大学の夏休みの期間だけというつもりでわたしはまた一人、中南米へと向かい、中米グアテマラの古都アンティグアでスペイン語学校に通ったあと、またしてもクスコに舞い戻り、今度はじつに一年近く日本に帰らないことになったのです。

クスコの恋

クスコで出会い、ペンション花田での時間を一緒に過ごしたコージさんとは、わたしが最初の旅から日本に戻ったあともエアメールを送り合っていて、その頃にはほのかな恋が始まっていました。大学の夏休みにまた中南米へ旅に出ようと思っているということも伝えてありましたし、できたらまたクスコで会おう、という手紙でのやりとりをしてはいました。

しかし、ふたたび旅に出て、グアテマラに滞在している間も、わたしの中には不安な気持ちがありました。これは彼にとって、旅先でのほんのひと時の恋の一つなのかもしれない。今後も長続きするような関係ではないのかもしれない。彼だけを頼ってまたクスコに行ってしまってはいけないのかもしれない……。

それでも、グアテマラにいる時点で、日本にいるよりはるかに彼に近い距離に来ていました。せっかくここまで来たのだから、行ってみよう。頭でいろいろ考えているより、会ってそれからのことを考えよう、と思いました。

そして語学学校での勉強に一区切りをつけると、わたしはまた荷物をバックパックにつめなおし、アンティグアを出発。バスで首都グアテマラ・シティーへと戻り、そこで覚えたてのスペイン語で四苦八苦しながらもなんとか飛行機のチケットを購入すると、ふたたびペルーの首都、リマの地に降り立ったのでした。

右も左もわからなかった前年より多少なりとも成長したわたしは、今度は自力でタクシーと交渉して旧市街にある安宿に落ち着き、いよいよ公衆電話からクスコのペンション花田へ連絡を入れることにしました。

公衆電話の受話器から外国にいることを感じさせる耳慣れない呼び出し音が鳴って、通話がつながると、わたしは電話に出た、前回の滞在で顔見知りとなったペルー人のお手伝いさんに、コージさんへの取り次ぎを頼みました。すると彼女は、電話口の向こうから思いもかけないことを告げたのです。

「イイダサン、ノー・エスタ」

簡単な単語でしたので、スペイン語を勉強中のわたしにもさすがにその意味はわかりました。彼女は「飯田さんは、いません」と言ったのです。しかも、悪いことに、それは今外出中で留守だという意味ではなさそうでした。彼女によれば、コージさんはおろか、わたしの知っているなじみのメンバーは今誰もいない、というのです。もちろん宿のお手伝いさんである彼女に、日本人滞在者のくわしい予定などわかるはずもなければ、知る必要もないことでした。彼女は言います。

「彼らがどこに行ったか、わからない。いつ帰るかも、わからない」

当時のつたないわたしの語学力では、電話ではらちがあきませんでした。とにかくもう、リマまで来ていました。どうなっているのかわからないけれど、とにかくもう一度、クスコへ行ってみよう。不安な気持ちを抱えながら、わたしは国内線の飛行機に乗りこみ、ふたたび一人、ペンション花田を訪れたのでした。

花田へ着いてとりあえず荷物を下ろして部屋に落ち着き、ようやくほかの旅行者によく事情を聞いてみると、じつは彼らは今、仲間内で旅に出ているところなのだけれど、しばらく前から消息が不明なのだということでした。

わたしが日本で受け取った手紙にも、確かにその旅の計画のことは書いてありました。わたしも前年の滞在で仲良くなっていた花田滞在仲間の一人で、それまでも世界各地での冒険旅行を続けてきたというコージさんと同じ年の男性バックパッカーが〝首謀者〟となり、男四人で手づくりの葦舟《あしぶね》に乗って、隣国ボリビアとの国境にまたがる大きな湖、チチカカ湖を旅する予定だ、と。

しかし、この時点ではもうその旅は終わっているはずで、そのすでに終わっているはずの旅から、まだ誰も帰って来ないということで、ペンションのオーナーも困惑していました。なぜなら彼らはそろいもそろって、クスコで日本からの団体ツアー客の案内をつとめる現地雇われガイドだったので、日本人相手の観光業の人手が足りなくなっていたのです。

これはどういうことなのか、どう考えていいのか、わたしは混乱していました。旅行者の間では、さまざまな憶測が飛びかっていました。いわく、彼らを見かけた人はどこにもいない。いわく、もうすでに舟は陸に着いているけれど、彼らはそろってどこかで遊んでいるらしい……。

わたしは彼の帰りをクスコで待つべきか、縁がなかったと割り切ってグアテマラへ戻り、さっさと自分の旅を続けるべきか、迷いました。わたしがこの時期にクスコを訪れるということは、彼には予想がつくはずでした。もしかしたら、連絡もつけられない状況にあるのかもしれない。もしかしたらわたしと会うのがやっかいで、あえてどこかで遊んでいるのかもしれない……。考え始めたらキリがありませんでした。

迷いの中にいるわたしに、ペンションの奥さんが励ましの声をかけてくれます。彼女の話す言葉はスペイン語なので、当時のわたしにすべてが理解できたわけではありませんでしたが、それでもそれは、わたしの心に響きました。

「彼はまっすぐな、自分の気持ちに正直ないい人よ。カナが帰ってからカナのほかに仲良くしていた女の子はいなかったわ」

さいわい、その当時新しくペンションに滞在していた人たちも、前年同様、今も付き合いの続くような気の合うメンバーばかりだったので、わたしは自分をだましだまし、ずるずるとクスコ滞在を延ばしていました。しかし、日に日に決断の日が近づいていました。帰りの航空チケットの有効期限がもう目前に迫っていたのです。わたしの通っていた大学は公立校で定期試験は九月にありました。それを受けなければ留年が決定です。このチケットで夏休み中に帰国しなければ、大学を留年するという状況でした。

それでもわたしは迷っていました。夜になると、よく宿の飼い犬・サスケを連れて、クスコの街を見下ろせる近所の教会の広場まで散歩に出ました。

「コージさんは今頃、いったいどこで何をしているんだろうな……」

星空の下で見つめるクスコの街並みの、たくさんのオレンジ色をした街灯の光が、にじんでぼやけてはポトリと流れて落ちました。

再会

そんな迷いの中にいたわたしをクスコに引きとめたのは、気の合う同宿のメンバーの存在と、意外にも観光ガイドのお手伝いの仕事でした。

日本の夏休みにあたる時期でもあり、とにかく日本人向け観光業の人手が足りなかったのです。

当時コージさんたちに仕事を依頼していたので顔なじみだった、現地の旅行代理店のちゃっかりとした感じのチャーミングな女社長から、突然ペンションにいるわたしのもとへ電話がかかってきました。

「カナちゃん！　明日の朝一〇時に、空港に来てちょうだい！」

このなかば強引な仕事の依頼をきっかけに、クスコの人手不足を補うように観光のお手伝いの仕事が始まりました。

その頃からクスコでも、また語学学校へ通い始めました。そして、わたしは決心していました。たとえそれがどんな結末になるとしても、この自分の恋を最後まで見届けよう。彼のために待つのではなく、自分のために彼の帰りを待ってみよう。誰かを待つだけの無意味な日々を過ごすのではなく、自分のためにこの大好きなクスコでの日々を過ごしてみよう。

仕事さえあれば、帰りの飛行機のチケットを買いなおすことはできました。大学の卒業は一年遅れても、それだけ有意義な時間をここで過ごそう、迷い続けたわたしは、そう、やっと心に決めたのです。

そうして、語学学校のクラスに出たり、観光のお手伝いの仕事をしたりしながらクスコでの日々を過ごし、一カ月ほどがたったある朝、トレッキングに出発するためにまだ薄暗い早朝から出発の支度をしていた同室の女の子が、「あのー、下で誰かが呼んでいますよ」と、ベッドで眠っていたわたしを起こしました。

寝ぼけまなこのわたしがセーターを羽織り、それでも急いで階下へ降りていくと、汚い服をモコモコと着こみ、真っ黒い顔中に、もじゃもじゃのひげをはやした男が笑いながら立っていました。

よく見ればそれは、今回のチチカカ湖一周の旅の首謀者で、わたしが「コージさんは？」と尋ねると、彼が答えるより先に、廊下の突き当たりのトイレから「おーい！　紙がなーい！」と叫ぶ、聞き慣れた大きな声が聞こえてきました。

それが、わたしが待ち続けた彼の、久々に聞いたなつかしい声でした。そしてその声を聞いて笑った瞬間、彼を待ちわびた時間はどこかへと飛んでいき、わたしには、どれくらい彼を待ったかということも、どんな思いだったかということも、もうどうでもいいものに感じられました。

久しぶりに会ったコージさんは、首謀者同様、着ぶくれして、髪もひげももじゃもじゃの姿で、照れくさそうに笑いながら、でも少しまじめにこう言いました。

「遅くなって、ごめん」

彼らが汚い服でモコモコと着ぶくれしていたわけは、標高三八〇〇メートルのチチカカ湖で、長いこと野宿同然の日々を過ごしていたからで、テカテカと光るほど真っ黒に焼けていたのは、湖の上で高地の直射日光を浴び続けていたからでした。

手づくりの葦舟でチチカカ湖を旅した「お祭り隊」のメンバー（一番左がコージさん）

消息不明だった理由は、彼らのルートがチチカカ湖を南まわりで一周するというもので、前半にはあった大きな町が後半の沿岸にはまったくなく、電気や電話さえもない地域を進んでいたので、どうにも連絡がつけられなかった、ということでした。

そして、予定より大幅に遅れながらも、日本の四国の半分ほどもある湖を彼らがとうとう一周し終えると同時に、彼らの葦でつくった舟はバラバラになって、湖へと還っていったのだそうです。

コージさんとともにほかのメンバーより一足早くクスコに戻ってきた旅の首謀者は、あとでこっそりわたしに教えてくれました。

「あいつ、かなちゃんに電話をかけようとして、舟で通り過ぎた電話のある町まで、上陸してから何時間も歩いて戻ったんだぜ」

クスコへ戻ってきた彼らはまた雇われガイド業に復帰し、旅行代理店の女社長や従業員はみんな一安心するとともに、「恋人をひたすら待ち続け、無事に再会を果たした」わたしのために、おおいに喜んでくれ、わたしの仕事のスケジュールを彼と同じ日程にまわしてくれたりするのでした。

そんなふうにクスコでの滞在は続き、同じ宿に寝泊まりするたくさんの旅仲間に囲まれながらペンション花田での日々を過ごし、時にコージさんと二人、クスコを離れ、ボリビアやペルーアマゾンなどを一緒に旅しました。

一年近く続いた二度目のクスコ滞在でしたが、わたしは遅れをとった大学卒業のため今度こそ帰国しなくてはならず、二人でともにペルーを出国してメキシコまで北上したのちにわたしは日本へ、コージさんは残りの旅を続けるため、ヨーロッパへと渡りました。

帰国後、わたしは一年遅れで大学を卒業。その後、焼きものの仕事で独立することをめざし、茨城県笠間市の窯元で下積み生活を始めました。

今のようにインターネットが普及する前でしたが、かたや日本、かたや海外の旅の空という離れ離れの期間にも、何通ものエアメールを送り合いながらコージさんとわたしの付き合いは続き、一九九九年の秋に結婚。

わたしの茨城での焼きもの修業はひとまず中断して、東京の代々木八幡神社で、集まってくれた大勢の旅の仲間や昔なじみの友人・知人に囲まれてのささやかな神前式を挙げたあと、新婚旅行と称して、またしても中南米へ向かって無期限の旅に出かけました。

晩秋の光あふれるニューヨークを経由してメキシコ・シティーへ。それから、学生時代から住んでみたかった芸術と工芸の盛んな街、サン・ミゲル・デ・アジェンデで小さな家を借り、しばらくの間、その街の美術学校へ通いました。

ふたたびクスコへ

そしてふたたび旅を続け、わたしたちにとって故郷のような街、ペルーのクスコに着くと、九四年に出会ってからそのままそこへ住みついてしまった旅の仲間や現地の知り合いに迎えられ、以前滞在していた時と同じように、また現地観光ガイドのお手伝いの仕事がまわってきました。

それは正式な観光ガイドとしての仕事ではないのですが、日系大統領フジモリ氏の就任後、物価や治安が安定すると同時に、観光地には観光客の助けとなる「観光ポリス」が配備されるなど観光事業へも力が注がれ、この時期を境にナスカの地上絵やマチュピチュなどを訪れる観光客が急激に増えつつありました。それを受けて日本から来るツアーの団体客に、ツアー中、日本語で対応し、標高の高いクスコで高山病の症状が出た時のケアなどをする人間がどうしても必要となっていました。このため、現地に長く滞在していて、ある程度スペイン語が話せる人は、旅行代理店から直接このような仕事を依頼されることがよくあったのです。

現在は観光客の数も安定し、現地観光業務の規制も厳しくなったことから、このような立場で観光の仕事を手伝うものはいないようです。もちろんそれとは違い、当時から正式な資格をもって働く日本人ガイドはいらっしゃったのですが、圧倒的な観光客の数に対して、現地で日本語を解するガイドの数があまりにも足りなかったために、こんな雇われ案内人が出現していたのでした。

現地で「ソロッチェ」と呼ばれる高山病は、気圧の低下や体内に酸素が欠乏するために起こるさまざまな身体的症状の総称ですが、その代表的な症状である息苦しさ、頭痛や消化不良といった体調不良は、高度の低い（酸素の濃い）ところに下りれば、嘘のようにすぐに治ってしまうのが一般的です。

世界遺産に登録されている〝天空都市〟マチュピチュ遺跡は、孤高の高みに存在するというイメージと違い、じつは意外にも、標高約三四〇〇メートルのクスコよりも一〇〇〇メートルほど低い、熱帯雨林と山岳地帯の境目にあたる緑豊かな川沿いの山の頂にあります。クスコで高山病の症状に苦しむ人が、マチュピチュへと向かう最寄り駅のアグアス・カリエンテスに着いて、その湿気を含んだ濃く甘い空気を吸ったとたん、生き返ったように元気になるというのはよくあることでした。

高山病の一番の予防法は、体が高度に慣れるまで極力ゆっくり行動することで、長距離バスなどで時間をかけて徐々に高度を上げ、体を慣らしながら移動してきた人は症状が出にくいといわれます。しかし、日本から飛行機で到着するツアーのお客さんは、観光の予定がぎっしりつまっていることもあって、到着した日をまるまる休んで過ごすというわけにもいかず、たいてい、ツアー参加者のうち何人かは高山病に悩まされることになるのでした。

そんな高地特有の体調不良に対するケアをしながら、現地のペルー人ガイドとペアを組んで、クスコ市内や近郊の遺跡、高山列車に乗って向かうマチュピチュ遺跡、時にはボリビアとの国境にあるチチカカ湖への観光に同行してツアーのお手伝いをするのは、クスコが好きで住みついた人間の一時的な収入源としては、とても楽しく実入りもよく、わたしはお話があるといつも喜んでやらせていただいていました。ですが、何か事件が起きたりして治安が悪化でもすれば観光客が来なくなる可能性はつねにあり、生活すべてを預ける人にとっては、楽しいばかりではいられない大変な仕事だとも思います。

天空都市マチュピチュ

観光ガイドのお手伝いの仕事というのは、まずツアー一日目の午前中にリマからやってくるお客さんをクスコの空港でお迎えして、宿泊するホテルまでご案内することから始まります。

初日はクスコの市内観光、二日目は列車に乗ってマチュピチュへ。三日目にはボリビアとの国境にある町プーノへと移動し、船の航行する湖の中でもっとも標高が高いところにあるといわれ、インカ文明発祥の伝説が残るチチカカ湖を観光して、四日目にまたリマへ戻るお客さんたちを空港でお見送りする、というのが、当時のわたしたちのつとめるご案内のもっとも一般的な日程でした。

クスコ滞在二日目の早朝、ツアーのお客さんたちは高山列車に乗りこみ、いよいよインカ遺跡めぐりのハイライトともいえるマチュピチュ遺跡へ出発します。

まだ夜明け前の街灯がともる早朝に、観光客専用の高山列車でクスコを出発。オリャンタイタンボ駅を経由し、マチュピチュ最寄りの駅アグアス・カリエンテスに向かいます。そこからマイクロバスに乗り換え、遺跡まで続くつづらおりの坂道ハイラム・ビンガムロードを二〇分ほどかけて上っていくと、午前中のうちに遺跡の入口へ到着します。

ユネスコの世界遺産に登録され、インカ帝国の残した最大の謎ともいわれるマチュピチュ遺跡。

ここを訪れるため、はるばる南米へとやってくるツアーのお客さんたちと同じように、この遺跡はわたしにとっても長い間憧れの場所でした。

わたしがマチュピチュを最初にこの目で見たのは、初めてペルーを訪れた九四年の秋。まだ知り合って間もないコージさんとともに歩いたインカトレイルと呼ばれる長いトレッキングコースの果てのゴール地点に、それは真っ白な霧の中にありました。

インカ帝国時代、その皇帝によって領土内の隅々にまで整備され、インカの人々の交通や物資の輸送、迅速な情報の伝達システムを支え、広大な帝国の繁栄の礎《いしずえ》となったのが「インカ道」と呼ばれる道路網。インカトレイルとは、かつての首都クスコ周辺をはじめ、今もあちこちに残るそのいにしえの道をルートとしてマチュピチュへといたるトレッキングコースのことです。

ルートはいろいろとあるようですが、旅行者に人気が高く、もっともポピュラーなのが、オチェンタ・イ・オーチョという駅を出発点として、途中いくつもの遺跡を通過しながら、およそ三泊四日の日程で四〇キロメートルほどの道のりをインカ道に沿って歩き、最後にマチュピチュへとたどりつくというもので、旅行代理店などでインカトレイルといえば、ほとんどがこのコースのことでした。

わたしたちは、テントや寝袋、飲料水や食料品を自分で用意してリュックに背負い、クスコの中心、メルカド（市場）のすぐ脇にある鉄道駅サン・ペドロから高山列車に乗りこんでオチェンタ・イ・オーチョ駅をめざしました。

地平線まで続くような茶色の畑や乾いた青空、ところどころに輝く緑、草を食《は》む羊の群れ……といった美しいアンデス高地の景色の中を、地元の人々とそのたくさんの荷物（大きな布にくるまれた、ジャガイモや玉ねぎ、生きた鶏や小さな赤ん坊など）とともに揺られること数時間。列車は、たくさんの物売りたちが商品であるおみやげの人形、布、バッグ、お菓子、ミネラルウオーター、チーズをそえた巨大なゆでトウモロコシなどを線路脇からかかげてお客に呼びかける、活気ある交通の要所・遺跡町のオリャンタイタンボに到着します。

しばらくの停車ののちオリャンタイタンボを出発すると、列車は次第に高度を下げ、車窓はそれまでの高地の風景から一変、ところどころにサボテンの生えたけわしい荒地の山の斜面となります。

その谷あいを茶色の豊かな水量をたたえて流れるウルバンバ川に平行してしばらく走ると、列車は徐々にスピードをゆるめ、川沿いにぽつんとホームがあるだけの小さな駅、オチェンタ・イ・オーチョ駅に停車します。オチェンタ・イ・オーチョとは、スペイン語で数字の八八。クスコから八八キロメートルの距離にあるということを意味していて、インカトレイルはここから始まります。

このコースの行程には標高四二〇〇メートルの峠や長いアップダウンがあり、慣れない人にはハイキングというよりは、むしろ登山に近いものがあるような、かなりけわしい道のりです。歩く距離が長いこともさることながら、高地のため酸素が薄く、高山病に苦しむ可能性があることがやっかいですが、それでもこのトレッキングは各国からの旅行者に大変人気があります。そのため、クスコの街中にはトレッキングツアーを主催する旅行代理店がたくさんあり、当時は個人でも自由にこのコースを利用することができました（現在では、事前に入山許可の取得などが必要なようです）。

わたしたちの場合は、コージさんと二人、完全に個人で行うトレッキングで、駅で切符を買うことから始まり、宿で寝袋やテントを借り、食料を確保して自分たちで食事をつくり、テントをたたんで出発するような、コージさんにとっては当たり前、わたしにとってはかなりハードなものでした。

出発したのは一一月。ちょうど雨季（アンデス地方には雨季と乾季があり、四月〜一〇月が乾季で、トレッキングに向いているといわれます）にあたり、道中は時おり小雨の混じるはっきりしない天気が続き、絶景と噂の四二〇〇メートルの峠も、ひたすら真っ白な雲の中でした。

疲れ知らずのコージさんとは対照的に、山歩きの経験がないわたしには相当に大変だったトレッキングもとうとう終盤にさしかかり、いよいよここからマチュピチュが見下ろせる、というポイントにたどりついた時も、視界にはただ厚い霧が立ちこめるばかりでした。

その頃には疲れがピークに達しており、クタクタのわたしは重いリュックを下ろし、その場に座りこんで、じっとその霧を眺めていました。そのまましばらくたたずむうちに、遺跡を包みこむ真っ白な厚い霧が徐々に、ゆっくりと風に流され始めました。そしてその霧のすきまから、少しずつ少しずつ、インカの人々によって長い間隠され続けたという石の都が、その姿をあらわし始めたのです。それが、わたしがこの目でマチュピチュを眺めた最初の瞬間でした。

観光ツアーで遺跡内部を訪れる場合には、一定のルートに沿って見学していきますが、個人で訪れる場合には、遺跡内のほとんどのエリアを見てまわることができます。ざっと一周するだけでも二、三時間、興味つきない人がじっくりとあちこち見てまわれば、一日あっても足りないでしょう。

マチュピチュ内部には、数百人から数千人の人々が暮らしていたといわれ、アンデネスと呼ばれる段々畑や灌漑《かんがい》設備も整い、高度な技術によって建設された神殿や住居跡なども残っていて、最近の花粉分析などの研究によると、アンデネスではその高低差を利用してじつにさまざまな種類の植物が栽培されていたということがわかってきたそうです。

遺跡は、住居跡、石切り場、三つ窓の神殿、コンドル神殿、共同墓地……などと名づけられたさまざまなエリアから成り立っており、それぞれに謎めいた不思議な空間が残っていますが、訪れた人がもっとも感銘を受ける場所といえば、なんといってもインティワタナと呼ばれる一枚岩

世界遺産にも登録されているインカの天空都市マチュピチュ

と、中心部の太陽神殿ではないかと思います。

インティワタナという名は、現地の言葉、ケチュア語で「太陽をつなぐもの」という意味です。その奇妙な形をした岩が、山の奥深くの秘められた遺跡の中でどんな役割を担って四方の山々を見渡す高台に存在していたのか、訪れた人々に考えさせずにはおきません。

そして遺跡の中ほどに位置する、マチュピチュの中枢ともいうべき太陽神殿の精巧な石積みは圧巻です。遺跡内には崩れかかっている石積みも多く、事実、一九一一年の発見当初は遺跡の七～八割が崩れかけていたということですが、このエリアだけは発見当初から寸分の違いもなく組み合わされて残っており、ここがいかに重要な場所として、最高の技術で丁寧につくられたかということを今に伝えています。

さらにこの場所には、二つの方角を示す二つの窓がつくられており、一つの窓からは夏至の太陽光が、もう一つの窓からは冬至の太陽光がまっすぐに入りこむよう計算されて建設されています。このことからも、この場所が重要な場所であったことが推測され、ここが現在「太陽神殿」という名で呼ばれる由来となっています。

わたしは長いこと、この遺跡に心から憧れていました。「一生に一度は訪れたい」と夢見た遺跡へ、自分がツアーのお客さんのお供をしてご案内し、これほど何度も訪れることになろうとは、日本にいた頃にはまったく想像もできないことでした。はるばる日本から到着し、遺跡をめぐりながら晴々とした顔つきで、「これでいつ死んでも悔いはない」とおっしゃるお客さんに、かつての自分の思いを重ねつつ、現地雇われガイドとしてマチュピチュ遺跡を月に二、三度訪れながら、わたしたちはクスコでの日々を過ごしていました。

部屋探し

観光業のお手伝いという定期的な仕事で夫婦そろって収入があるおかげもあって、今回の滞在では、今までのように宿や仲間の部屋に泊まるのではなく、クスコの街に自分たちの拠点をもって、しばらく腰を落ち着けようかと、二人で家を探し始めました。

地元新聞の貸家の広告などもチェックして街を見てまわるうちに、シエテ・アンヘリートス、日本語にすると「七人の天使たち」という名の小さな裏通りにある、長屋のようなつくりの建物の二階の窓に「貸し部屋あり」という張り紙が出ているのを見つけました。

さっそく大家と契約を交わすと、壁のペンキを塗り替え、市場へ行ってさしあたりの最小限の家具などをそろえて、まあまあ居心地よく暮らし始めました（暖房器具がないので朝晩は少し冷え、長屋の住人仲間には洗濯屋さんやゲーム機を置いた店舗もあり、加えて隣室に住む老夫婦の放し飼いの大型犬もウロウロし、つねになんやかやと騒々しい環境ではありましたが）。

わたしはその間にリマから来ていた若いペルー人アーティストの女性と親しくなり、彼女とともに、クスコで唯一、高温焼成で焼きものをやっているという来日経験のあるペルー人男性の工房へ通い始めていました。

クスコは標高が高く、酸素が薄い（海抜ゼロメートル地点の三分の二程度）ということもあり、普通のおみやげものなどは素焼きに近い低温で焼かれたものが一般的で、クスコで日本のような摂氏一二〇〇度を超える高温焼成をしている人は彼だけでした。

その頃にはわたしも自分の窯をもつ可能性を少しずつ考え始めていて、現地で手に入りそうな窯のことをレンガ工場に聞きに行ったりもしていました。

　わたしたちの借家には、以前ドイツ人の画家が住んでいた時に彼が使っていたというアトリエのような部屋もあったので、ゆくゆくは、当時アクセサリーづくりをしていたコージさんとの共用の仕事場として使おうと考えていました。

　観光関係の仕事も定期的に入り、友人や知り合いも多く、街は平和で美しく、とくに不自由なことは何もなかったので、まあ一、二年はクスコにいて、お互いのものづくりを続けてみようか……と思い始めていた時、二人にとって初めての子どもが、わたしのおなかに宿りました。

妊娠

　驚きととまどいと、特別で幸福な気持ちに包まれながらも、なんの覚悟もないまま、突然大きく人生が変化したようなものでした。このまま気楽な暮らしを続けていくわけにはいかない。もうあと戻りはできないのだという重みのようなものを感じるようになりました。

　大好きなクスコでの日々は楽しい暮らしでしたが、つわりが始まると食欲も落ち、だるくて眠く、何を食べてもムカムカして、仲間内で集まるお酒の席も、まったく楽しめなくなりました。

　何かを食べる楽しみも、どこかへ出かける楽しみもないつわりの時期に、昼間から毛布にくるまってテレビも雑誌もない薄ら寒い部屋で横になっていると、頭の中に初めて、遠い日本の、ほしいものがなんでも並んだコンビニエンスストアが浮かび、「もし、つわりでも食べられるようなものがすぐに手に入れられたら」「育児雑誌や妊娠についての本が読めたら」という考えが心をよぎるようになりました。

乗り合いバスに乗って、地元の小さな診療所に診察を受けに行くのですが、日常会話とまったく違うスペイン語の医療用語に、ドクターのいうことがほとんど理解できず、不安がつのりました。

学生時代も含めた六、七年の間に、トータルすると二年くらいの月日をクスコで過ごしたのですが、いつもしぶしぶ帰国していた大好きなクスコから、自ら望んで日本に帰りたいと思ったのは、この時が初めてでした。

大人だけで自由気ままに暮らすことと、地に足をつけてきちんと責任をもって子どもを育てていくということは、当然、いろいろな面で違いがあり、治安や政情が安定し、医療や教育機関も充実した日本という国は、子育てをするうえで、やはり心強い環境が整っていました。

当時ものづくりをしていたコージさんも、ゆくゆくは自然の豊かな場所で自給的な暮らしをしていこうと考えていたこともあって、この妊娠をきっかけに日本に帰ることをほとんど迷うことなく決めました。子どもがのびのび育つことのできる環境で、自分たちが本当にめざす暮らしづくりを始めようと、借りていた家を、やはり当時同じように長期滞在していた旅の友人にそっくり受け渡して、帰国の途に就きました。そしてここからが、自由に過ごしてきたわたしたちの、試練の時期の始まりとなったのです。

第2章 坂道

帰国

クスコから帰国した当時、わたしは妊娠六カ月。さて、わたしたちはこれから、いったいどこに行けばいいのか、何から始めたらいいのか。

自給的な暮らしをするといっても、とりたててどこの農家にゆかりがあるわけでもありませんでした。しかし、コージさんという人はやると決めたらとことんやる人。たとえ見知らぬ外国の地でも開墾しかねないのはわかっていたので、わたしの希望で、いつか自分の仕事を始めることを考えると、やはり焼きものの産地を離れたくないということ、知り合いの誰もいない土地で子育てをしていくのは不安が多いということを考慮に入れてもらい、わたしが大学を出たあと、窯元でお弟子修業をして過ごし、結婚前にしばらく二人で住んでいたこともある茨城県笠間市の周辺で、貸してもらえる土地を探そう、ということになりました。

しかし、わたしたちの知り合いといえば、やはり焼きもの関係者。少しずつ土地の人を紹介してもらいながら、のちに八郷町《やさとまち》（現石岡市）で農業学校を開くことになる方のところでごやっかいになり、農業の手伝いをしつつ居候させてもらって、空いた時間に自分の足で八郷の土地を見てまわるということになりました。

とはいえ、これは彼の動きで、妊婦のわたしはといえば父の単身赴任により当時空き家になっていた東京の実家（母も赴任先に滞在することが多かったため）に身を寄せ、そこを拠点に病院の検診などに通い、体調をみて、八郷のほうへ顔を出したり戻ってきたりするということになりました。

今思えば、先の見えない深刻な時期であったというのに、当時のわたしはまだ旅の感覚が抜けきらず、向こうで稼いだお金も少しあったおかげで、あまり行きづまった感じがなかったのがわれながら不思議です。でも、コージさんに当時の話を聞くと、土地がなかなか決まらず、八郷のあちこちを探しまわったこの日々が一番キツかった、と言います。妻と子とこれからの暮らしというすべてをしょって、なかなか見つからない居場所を探しまわるということは、並大抵の重圧ではなかっただろうと思います。

合宿免許

　一方、わたしのほうは、これから始まる田舎暮らしに備えてしておかなければならないことがありました。とてもとても気が重いそれは、自動車の運転免許を取っておくということでした。

　実家にいた頃は、東京郊外とはいえ電車だけでもとくに不便はなく、笠間での焼きものお弟子時代も自転車と原付バイクでなんとか間に合わせていたのですが、今回ばかりはそうもいかなさそうでした。農地の豊富な田舎に住むことを考えれば、まさか歩いていける範囲に必ず駅や商店があるとも思えず、自分で車を運転できずに新しい暮らしを始めることはたぶん、自分の首をしめることになるだろうという予感がありました。

　さしあたっての問題は、その時点で七カ月の妊婦だということでした。のんびりと教習所に通っていては、子どもが産まれてしまいます。

　そこで、パンフレットを見ながら、料金が安く、妊婦でも受け入れてくれる合宿制の自動車教習所を探して、ちょうど土地探し真っ最中である茨城県の教習所を見つけました。さいわいダブッとした上着を羽織ればおなかはほとんど目立たなかったので、あまり注目もされず、ほかの教習生にまじって普通に教習を受けることができました。

　しかし、目立たないとはいえ体は妊婦。とにかく集中力を維持するのがとてもつらく、教習も後半になると一日四時間くらい車に乗らなくてはならないので、休息したくなるのをこらえて、なんとか長い一日を乗り切りました。

中でも、くじけそうになるほど困難だったのがマニュアル車のギア操作でした。オートマチック車限定講習で早めに卒業していく人をうらやましく思いながらも、これから始まるのは田舎での暮らし。トラックや四輪駆動、どんな車に乗ることになるやもしれず、オートマチック車限定免許で自分のできることまで限定してしまうわけにはいきませんでした。

妊娠中の体調変化の特徴といわれる集中力に欠けた頭で、ものすごく難しく感じる坂道発進のやり方を教わりながら、「もう二度と、一生、坂道発進なんてしたくない！」と思ったのを今でもよく覚えています（もちろん、その後に毎日坂道発進を繰り返すような日々が待っているとは、この時のわたしには知るよしもありませんでしたが……）。

そしてなんとか卒業検定にも合格して二週間と少しの合宿が終わると、その足で、八郷で土地探しを続けるコージさんの居候先を訪れました。

土地探しは依然はかばかしくなく、居候宅の主のすすめで、自分たちの紹介と、農地と借家探しをしている旨を記した挨拶状をつくり、家や土地を貸してくれそうな地主さんのお宅をうかがってまわりました。

ありがたいことに、冷たくあしらわれることはまずありませんでしたが、そのかわりはっきりした返事がもらえません。だめならだめで、ほかを当たっていくしかないのですが、「親戚に聞いてみる」とか「貸せるかもしれないが誰々の了解がいる」とか、今思えばやんわりとしたお断りだったのかもしれませんが、本当に今後につながる話なのか、わからない受け答えばかりでとまどいました。

この当時、わたしたち（とくにわたし）は、いきなり山を開墾するつもりではなく、まずは拠点となる借家を見つけてそこで生活しながら、少しずつ借りた土地を整え、ゆくゆくはそこへ移って落ち着こうと、そんな考えでいたのです。

ところが、いくら探しても貸してもらえる家が見つかりません。そうこうするうちに年が明け、わたしのおなかはいよいよ大きくなり、出産の日が近づいていきました。

借家探し

予定日より一〇日早い二〇〇一年の二月二一日、コージさんの立ち会いのもと、東京の病院で長男が誕生しました。

そしてこの頃、ようやく八郷で田畑となる山あいの土地を貸してもらえることになり、彼は荒れた山の斜面の下草を刈り、ひょろひょろとした木を切って、根を起こす段階に入っていました。

同時に、ゆくゆく必要となる家の建材を確保するため、亡くなった彼の群馬のおじいさんの家を解体し、その材木を借りた土地へ運びこむという作業も並行していました。ですから、小さな息子の顔を見に、東京のわたしの実家を訪れる彼の手や腕は、いつもたくさんの切り傷やすり傷だらけででした。

しかし、土地は借りられたけれど拠点となる家がない、という状態は長く続いて、初めての出産・育児でとても保守的な気持ちになっていたわたしは、きわめて〝普通〟の暮らしを望んでいました。暖かくて、水道や電気のある〝普通〟の暮らし。

というのも、初めて抱く産まれたばかりの赤ちゃんは、とても軽く小さくもろく見え、出産後の入院中や赤ちゃんにまつわる周辺の環境は、いつでも適温・適湿、清潔で、衛生的であるのが当たり前の世界だったので、わたしはすっかりそれに慣れ、そうでなくては赤ちゃんを育てることなんてできないというように思いこんでいたのだと思います。なので、「早く親子三人で暮らしたい。でも電気や水道やお風呂があるちゃんとした家が見つかってからだ」と思っていました。「すべてが普通に整った借家が見つかるまで、もう少しの辛抱だ」と。

かたやコージさんの状況は行きづまっていました。候補にあるのは、タケノコが床から突き出ているような放置された古い家や当てにならない借家の話ばかりで、一時期借りてみた家も、水道ポンプの故障で漏水した料金を払わされるような状況で、すぐに出ざるをえませんでした。

プレハブ

そんな中、コージさんから家が見つかったと連絡があったのは、長男の首が据わるか据わらないかという生後三カ月くらいのことでした。

有機農業者が昔住んでいた建物で、ご本人は亡くなられているけれど、生前の彼を慕って都会から農作業をしに来る人たちが寝泊まりに使う場所を、ご好意で貸してもらえることになったという話でした。電気も水道も、お風呂も電話もあるし、歩いていけるところに店もあるということで、わたしは喜んで、広くこぎれいな、集落の公民館のような畳敷きの部屋を想像しながら、自分と赤ちゃんの身のまわりの品々でささやかな荷物をつくり始めました。準備が整うと、迎えに来てくれたコージさんの車に積めるだけの物を積んで、小さな赤ん坊と二人、ようやく八郷へと引っ越してきたのでした。

時刻はちょうど夕暮れ前。赤ん坊を抱いて車から降りたわたしの目に映ったのは、二階の壁がところどころ抜けた廃墟のようなプレハブでした。

殺風景な一階部分にはさびしい感じに蛍光灯がぶら下がっていて、二階へは手すりのついた古びた幅の狭い鉄階段が続いていました。頼りない階段を伝って二階部分へ上がると、古びたカーペットの片隅に古い畳が並べてあり、階下へ通じる階段部分はぽっかり暗い口があいていて、壁は上のほうがところどころなくなって暗い空がのぞいていました。だだっ広い空間は寄る辺もなく、いったいどこへ布団を敷けば落ち着けるのか、まったく見当がつきません。

夕暮れ、「廃墟のような」プレハブ、夕飯に食べたスーパーの売れ残りの冷たい値引き弁当……。首の据わらない赤ちゃんを抱いた、この時のことを思い出すと、今も胸が締めつけられるような気持ちになります。心細さと不安に胸が苦しくなり、蛍光灯の上の暗闇がわたしの上にのしかかってくるようでした。

それでも、隣に住む「空いている時はこのプレハブに住んでもいいですよ」とコージさんに言ってくださった親切な方（もちろん彼はわたしたちが困っている様子を見て、ご好意で申し出てくださったのです。その場所をこんなふうに表現することをとても申し訳なく思いますが、子連れの非常事態下での気持ちなので、どうぞお許しください）にご挨拶をし、表にある別棟になったお風呂場へ案内していただき、一応お風呂にも入れさせていただいたものの、どうしてもプレハブに泊まる気になれず、かといってほかに行くところもないので、コージさんが開墾している山へ行って、居候先を出たあと、ずっと彼が寝起きしているという改造したビニールハウスに泊まることになりました。

ふたたび車に乗りこみ、プレハブから山まで移動する時の、人通りも灯りもない真っ暗な夜の景色の中でヘッドライトに照らされた木々たちは、居場所のないわたしたちを、冷たくよそよそしく眺めているかのように思えました。そのままそのビニールハウスに四、五日は滞在したでしょうか。

コージさんはクスコで初めて会った時から、日本人離れして感じるくらい紳士的な人でした。混み合った現地の乗り合いバスに一緒に乗った時など、空いている席を見つけるとそこで立ち止まり、通路でわたしが来るのを待って、わたしを窓側の奥の席に座らせたあと、自分は通路側にスッと腰かける、その一連の流れがとてもスマートで自然で、世の中にはこんな男の人もいるんだなあとびっくりしたのをよく覚えています。中南米には治安のよくないところも多く、スリや何かから守ってくれていたのかもしれないし、もしかしたら景色がよく見えるように配慮してくれていたのかもしれません。旅をしていた頃も、それに今も、そんな感じの人です。本来は周囲の人や自分を楽しませるのがとても上手な、陽気な人なのです。

でも、このビニールハウスから農園開拓当初のコージさんは、とてもこわい、けわしい表情をしている時間が多くなりました。それほど本当に何もかもが手いっぱいな状態だったのです。

ビニールハウス住居

そのビニールハウスは、当時このような状態でした。長さ一〇メートル、幅五メートルの古い農業用のビニールハウスの中全面に、ベニヤの床が張ってあって、ハウスの幅三分の二くらいには群馬から運んできた古い家の材木が奥行きいっぱいに、膝くらいの高さで平らになるように積まれていて、その上に、一二畳分の畳を敷いた広い部屋のような場所がつくってありました。

残りの幅三分の一の部分は床に張ったベニヤのままで、土足で行き来できる通路になっていて、その通路に沿ってカセットコンロや、しょうゆ、塩などの調味料を置く台が並び、簡単な調理ができるようになっていました。

通路から畳の間への段差には、マットを敷いた幅広の材木が上がり口のように置いてありました。畳の間の片隅には布団がきちんと積んであって、壁にあたる三方にはやはりおじいさんの家にあったという古い行李《こうり》やら、木箱やら、茶ダンスやらが、南米からもちかえった織物や置き物などとうまく調和させて並べてあり、見ようによってはちょっと趣きのある居住空間になっていたのでした。

コージさんが山に入ってまず下草を刈り、ざっと整地した空間に居候先の方から譲っていただいた古いハウスの骨組みをかついで運び上げ（のちに聞いたところでは、けわしい坂道を一〇往復したそうです）、材木もすべて運びこんで、できるだけ居心地のよい空間になるようにしたということでした。

わたしも、もしほかにちゃんと住むところがあり、産まれて間もない赤ちゃんを連れていなか

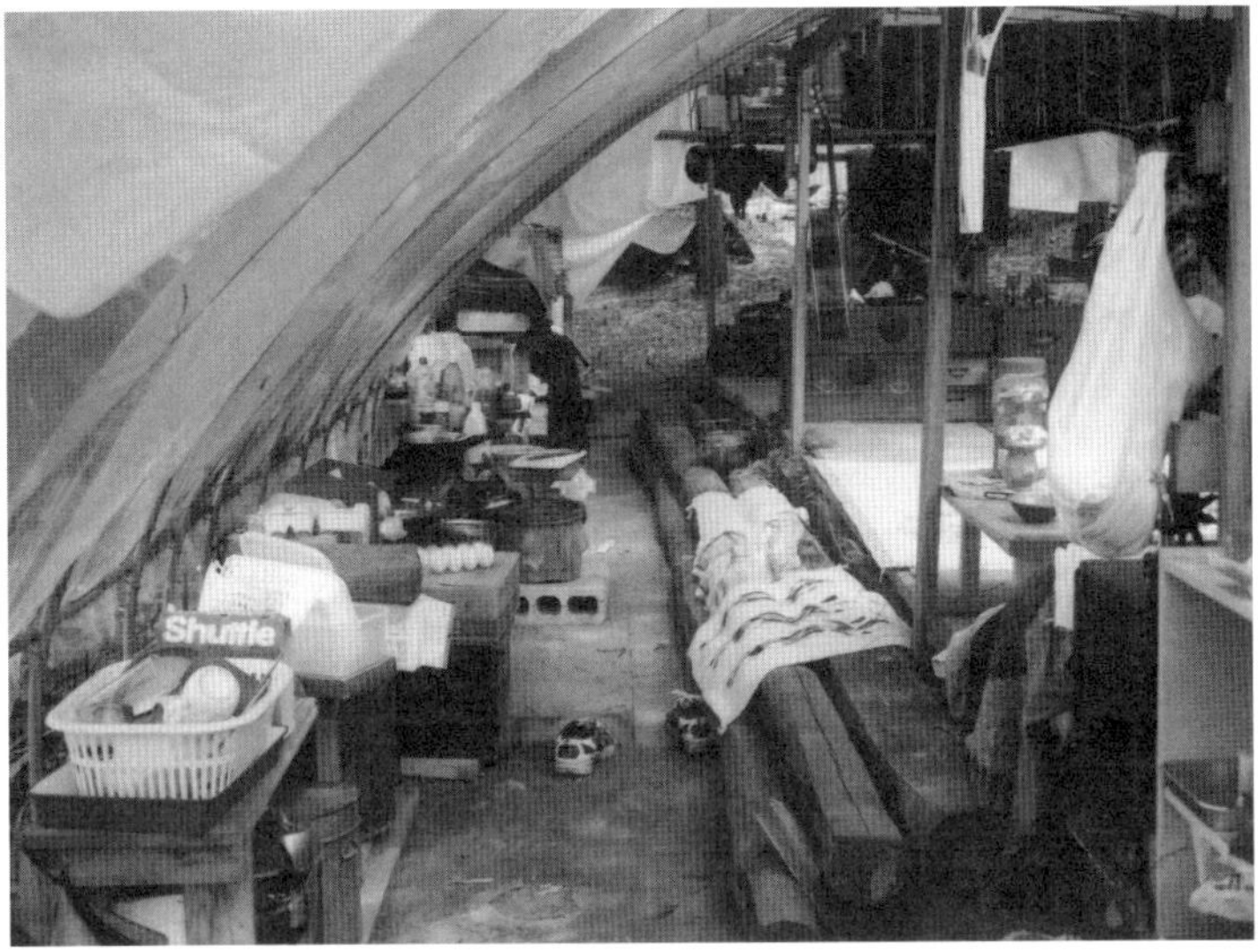

ビニールハウス住居の内部（右手が畳スペース）

ったとしたら、このビニールハウスで過ごす時間をもっと楽しめたかもしれません。実際、例のプレハブから山に着いたわたしは、まったくひとけのない山の中とはいえ、古道具に囲まれたこちらの空間のほうがむしろ落ち着けるように感じて、しばらくここで暮らすことを自分なりに努力してみようとしました。

しかし、やはりこの状況下で暮らしを楽しむ精神的な余裕はまったくなく、わたしの滞在は結局、四、五日しか続きませんでした。わたしにとってこの頃のことは、なつかしむにはかなりつらい思い出で、意識的に思い返すこともなかったせいか記憶がとても曖昧です。

借りた土地は地主さんが住む集落の裏山

にありました。山仕事の人だけが使っている棚田沿いの細い道をさらに上の方へとたどっていくと、途中から未舗装となるかなり急角度の悪路が続きます。そのモトクロスバイクのコースのようなきつい急斜面を過ぎると、唐突にぽっかりとあらわれる日当たりのいいなだらかな斜面地、対になって呼びかけ合っているような二本の山桜の大木があるその場所一帯が、彼が借りた土地でした。

日当たりがいいといっても、土地を借りることになった当時、多少視界が開けるのは山桜の大木の下くらいで、あとは小道の両脇を、藪《やぶ》やツタのからまった木立が囲んでいました。いつどこから野生の動物が飛び出してきてもおかしくないような、そんな荒々しい雰囲気でした。

そこから眼下には、周囲を山に囲まれた八郷の町が浅い盆地になっている様子が眺められました。かつてはこの場所に炭焼き場があったということでしたが、その時はすでにひとけは感じられず、ずいぶんと人里離れた山の中というのが第一印象でした。でもこの時はまだ、どこかに家を借りて、ここはいつか落ち着いたら少しずつ手を入れていく場所、というくらいに思っていました。景色のきれいな場所だなあという印象でした。

もしこの時に、すぐここに住むと決まっていたら、その時まだひき返せる状況だったとしたら、わたしはここに住むのは無理だと言っていただろうかと、今も考えます。住む場所を決めるという、その後の生活を左右する大切な過程に自分が参加しなかったこと（妊娠後期という状況だったこともありますが、結果的には彼にすべてをまかせていたということ）が、この後、わたしの中で長く尾を引くことになりました。

結局、数日しかいられなかったビニールハウス住居の問題はまず、電気がまったく来ていなかったこと、そしてお風呂もトイレもなかったということでした。電気がないということは冷蔵庫もないので、肉や魚や牛乳など生鮮食品の買い置きができません。電気炊飯器も使えなければ、もちろん洗濯機もあるわけがありません。日が暮れれば街灯も何もない山の中は、完全な暗闇になりました。

命の源である水に関しては、山の上のほうから延々と竹どいとホースを使って沢の湧《わ》き水を引きこみ、ハウス向かいの小道をはさんだところで一度大きなかめに溜めてあって、そこからきれいな水がくめるようになっていました。食器や衣服などの洗いものはそこへしゃがみこんでするのですが、子どもを安全に置いておけるような場所もなく、洗ったものには洗ったそばからすぐに泥や枯葉がつきました。

炊事には卓上用のカセットコンロを使っていましたが、小さなボンベはすぐに終わってしまうので、お湯を沸かすなど時間がかかる場合は、山の小枝などを拾ってそれを薪《まき》にして七輪の上で沸かしました。

長男は、母親の不安定な生活状況やそれに伴う精神的な不安を感じてか、新生児の頃から少しでも一人にされると、ふたたび抱き上げられるまでひたすらに泣き続けるような赤ん坊でした。寝かしつける時も必ずわたしが抱きかかえ、そのままぴったりとくっついた姿勢で眠らなくては、必ず起きて延々と泣いて寝入らないのです。深い睡眠が最大の活力源となるような体質のわたしにとって、この時期の長男の世話は本当に、まったく余裕を感じられないくらいに大変なものでした。

たとえどんなに「赤ん坊は泣くものだ、少しくらい泣かせておいてもどうということはない」と言われたとしても、母親自身が余裕をもってそう思えるようになるのは、つねに育児経験の豊富な人がそばにいてアドバイスをもらえる状況であるか、自分一人でも赤ん坊の泣き方からその原因が推測できるようになり、危険を知らせるものではないと判断できるようになってからのことなのです。

まだ首も据わらないので背負うこともできず、泣かれるとまたよけいに気持ちに余裕がなくなるのでつねに赤ん坊を抱きっぱなしの状態でしたが、なんとか自分にできることをやろうと思ってはいました。けれど、お湯がほしい時に赤ん坊を片手に抱いてほうぼうにしゃがみこみ、そのへんの薪を拾ってこなくてはならないという状況はとても耐えがたく、大人だけならまだしも、赤ちゃん連れの生活にお風呂がないということや、トイレのないストレスは、産後間もないわたしにとって相当に大きいものでした（産後の女性は普通の暮らしをしていてさえも、出産時の傷の痛みや、母乳に水分をとられるなどの関係から、しばらくの間お通じに悩む人が少なくないのですが、男性であるコージさんにはなかなか理解されませんでした）。

当時はまだ危険なほど道が悪く、免許を取りたてのわたしの慣れない運転で赤ちゃんを連れて出かけることは考えられず、何をするにもコージさんをわずらわせる状況でした。牛乳一つ買いに行けない、公共トイレのあるところまで出かけるわけにもいかない。

何よりとにかく、何をするにも赤ちゃんと一緒、慣れない子育てという緊張感、寝不足と、自分の自由がまったくきかないという、どんな新米の母親も感じるストレスが、その暮らしでどんどん増長されていくことに耐えられませんでした。

子育てについてなんの経験もない新米の母親にとって、初めての赤ちゃんの世話というのは、二四時間休みなく小さな生命の灯火を管理し続ける大仕事です。おおげさにいうなら、自分の不注意で、大事な赤ちゃんを死なせてしまうかもしれないというかすかな恐怖につねにさらされ続けているといってもいいかもしれません。初めての子育てでは手の抜きどころがわからず、少しくらい放っておいても、たくましく育っていくものだと思える経験も自信もないのです。

とくに核家庭で育ち、それまで赤ん坊との接触がほとんどないままに、いきなり育児が始まった新米の母親とは、温度計や湿度計、清潔な衣類やタオル、消毒した哺乳瓶、エアコンに加湿器、紙おむつにお尻ふき、沐浴させるベビーバスなど、何もかもが整った暮らしの中でさえ、時には泣きやまない赤ちゃんの泣いている理由を探って、こちらも泣きたくなるくらいにとまどい、神経をすり減らすものです。

山のビニールハウスには、慣れない育児を少しでも助けてくれるような、そんな何もかもがありませんでした。母乳が足りないのか泣きやまない赤ん坊にミルクを足そうにもお湯がなく、おむつからうんちがはみだしてしまっても着替え用のきれいな肌着もなく、体を洗ってやりたくても入れるお風呂もないのです。夜中におむつを替えるために目覚めても、山の夜は電気のスイッチもない真っ暗闇でした。

コージさんはハウスの脇に、すぐにでも小さな小屋を建てるつもりでした。電気もその秋には来るという予定でした。わたしたちはそれまでは別々に住み、その家ができ次第、合流して一緒に暮らそう、と決めました。

わたしはまた荷物を車に積みなおし、東京の実家へ送り届けてもらって、赤ちゃんの世話をしながら、コージさんが家を完成させるのを待つことになったのでした。

わたしがもっと強かったら？　わたしがもっとガッツにあふれていたら？　とよく考えました。子どもを抱いて、誰もいないとはいえ住み慣れた実家という安全な場所にコージさんと離れて帰っていく自分が、心のどこかで情けなくも後ろめたくもあったような気がします。でも、いくら格好悪くても情けなくても、これがその時のわたしにできた精いっぱいでした。

初めから、自分の容量以上の無理をすれば、いつかきっと心か体が壊れてしまいます。自分にできると思える以上のことを無理に背負いこんではいけない。これは、自分の責任において自分の人生を生きるうえでの鉄則だと、今のわたしには素直に思えます。

でもこの頃のわたしは、自分の行動にいちいち自信をもつことはまったくできず、なんとか事態に対処するだけでした。とにかく、子どもを抱いて、安全地帯へ撤退したのです。

ふたたび東京へ

こんな暮らしをしていると、ご両親は心配しませんかとよく聞かれます。わたしもコージさんも、サラリーマンと専業主婦の、ごく普通のしあわせな家庭に育ったもの同士です。心配をかけなかったどころか、これまでにどれほど心配をかけ、世話になったかわかりません。でも、それぞれの両親がわたしたちを信じ、陰になり日なたになり応援し続けてくれたからこそ、今日があるのだと思っています。

とはいえ、いくら信じてくれているといっても、わたしたちときたら行き当たりばったり、ほかの人がまるでやらないようなやり方でなんの保証もないようなことを始めようとしている。こういうことは何年もかけて計画し、生計が立つまでの資金を確保し、現地の情報を集め、それでも慎重に計画を実行に移していくのが一般的な話で、それでも生活が落ち着くまでは親としては相当に気がかりなものでしょう。

しかし、なかばあきれるような状況でも、すでに子どもが産まれていて、わたしたちが一般的な社会の中ではなく自分たちで道を開いていく生き方しか選べないのなら、応援していくしかないと、そんな気持ちだったのかもしれません。

その頃、わたしの母は更年期で体調がすぐれなかったこともあり、父の赴任先である名古屋に滞在していることが多かったのですが、実家に出戻ってきたわたしと赤ちゃんのために月に一度は東京へ来て、育児の助け、そして精神的な支えとなってくれました。父はもちろんまじめな社会人で、きちんとした常識人ですから、借家が見つからないのなら、どうして町でアパートでも借りて夫婦の拠点としないのかと強く思っていたはずです。

ところがわたしたちは、本当に乏しい資金で開拓生活を始めたので、ちゃんとしたアパートに住んで何万円もの敷金・礼金や月々の家賃を払っていては、めざす生活へは一歩も近づけず、かえって身動きがとれなくなるのはわかりきっていました。嫁さんの実家にやっかいをかけてしまうのは本当に申し訳ないけれど、どんなに無茶な方法でも、自分のやり方で、少しずつでも進んでいくしかないとコージさんは考えていたのだと思います。

わたしがこの離れ離れの先の見えない日々をなんとか過ごしてこられたのは、そんな両親の理解と、何より彼を信じる気持ちをもち続けてこられたからでした。誰が無理だといっても、コージさんならきっとやれる、とわたしはいつも信じていました。そして一番つらかったのは、そんな気持ちがふと揺らぐ瞬間でした。

東京の実家に一人、まだ小さい赤ちゃんと過ごす夏の日が暮れ始めて、近所の市役所の公園から夕刻を知らせる音楽が流れてくる頃、どうしようもなく不安になることがよくありました。本当に家はできるのだろうか。今度はコージさんにもできないことがあるのではないだろうか。

そんな時はいつも、夜になって彼の仕事が一区切りしてビニールハウスに落ち着く時間を待ち、彼が山での連絡用にもった携帯に電話を入れました（それでも雨の降る夜には、わたしからの電話を知らせる着信音がビニールハウスを打つ雨音にかき消され、連絡すらつけられないこともたびたびありました）。

「ねえ、大丈夫だって、言ってくれない？」

わたしは電話口でよくそんなことを頼んだと思います。するとコージさんはちょっと面倒くさそうに、でもまじめな様子で「ああ、大丈夫だよ」と言います。そして自分で頼んだにも関わらず、わたしはそのひとことでまた少し元気になって、未来を信じることができるのでした。

山の開拓

当時、コージさんのやっていたことといったら、とても常識では考えられないような本当に大変なことばかりでした。電気もない、重機もない山の中で、荒れた耕作放棄地となった田畑を起こし、棚田の石積みから崩れて埋まっているゴロゴロした石を手で取り除き、それを一輪車に積んで急勾配の坂道を押し上げ、家を建てる場所の木を切ってツタや下草を刈り、根を起こし、下から運んできた石を使って、家の基礎工事を進めていました。

わたしはこの頃、東京で育児に手いっぱい、彼は山の開拓に没頭する日々を送っていたので、思えば、お互いがしていることをゆっくりと報告し合う暇もなく、ここからのことは、生活が落ち着いたのちにコージさんから聞いた話となります。

当時、土地を探す中で彼が重要だと考えていたことは、まずは水が確保できること、その水源の上流に人が住んでいないこと、新たに道をつけなくても生活道があることでした。もともと自然豊かな場所で暮らすことを基本としていたこともあり、多額の資金がかかる井戸掘り以外の方法できれいな水を確保するために、必然的に湧《わ》き水の引ける山に入った土地を探すことになりました。

加えて、山の斜面はできるだけ日照時間が長い南向きであること、楢《なら》や赤松、山桜などの生育

移住当時の山の様子。うっそうとした木々に囲まれていた

する雑木林があって、その落ち葉が重要でした。落ち葉が確保できることが重要であるわけは、土づくりのための堆肥に欠かせない養分となるからです。

そして、彼は地図を手に土地探しを続け、その借地を決めた土地に自分の求めるすべての条件を見出していました。しかし、なだらかとはいえ完全に平らな場所はまったくない土地に家を建てるためのスペースを確保しなければなりません。道が悪いこと、それから資金の面からも、整地のための重機などを入れることは考えられませんでした。

彼は平らな場所をつくるため、傾斜地を掘り、スコップと鍬《くわ》で木の根を起こし、手動ウインチを使ってその根を取り除くという整地作業を続けていましたが、その作業でさえ、一、二カ月もかけて四方八方にはいまわる藤や茨のツタを払い、篠竹を刈って、それからでしか手をつけられない状態だったそうです。

実際に山水を引くにあたっては、ホースと鉄の棒で節を抜いた竹をつないで沢水を引いていましたが、初めに選んだ沢からはどうしても濁りが混じり、つねに泥や落ち葉などのつまりを直さなければならなかったので、しばらくしてのちに、取水口をさらに五〇〇メートル上流に変えたそうです。

当時、ふもとの集落の方たちには、よそから来たあの都会者はすぐ出ていくだろうと噂されていたといいます。そしてまさか、重機も使わず整地できるわけがないと、業者に頼んで土地をきれいにしてもらったのだろうと思われていたそうです。

エネルギー

彼が自身のその長い旅の時代を通して何を思い、どの国のどんな町を旅し、その中で何を感じてきたのか、もちろんわたしにくわしくわかるはずもありませんが、初めて出会った頃から、わたしから見れば（そしてたぶん、ほかの人が見ても）コージさんはかなり非凡な、ユニークな人でした。

ちゃんと常識をわきまえながら、それでもその既成の枠にとらわれることなく、自分のやりたいことを周囲を驚かせながらも実現していくような、なんともいえない独特のエネルギーがあるのです。

前述のとおり、わたしたちがまだ付き合い始めて間もない頃、彼を含めたクスコ滞在中の旅行者四人が行方不明になったことがありました。コージさんとはまた違う旅のスタイルで、世界各地での本格的な冒険旅行を続けてきたクスコ滞在仲間の一人が発案者となって、葦《あし》のような植物を束ねてつくる現地の伝統の舟「バルサ・デ・トトラ」を、現地の人に教わりながら自分たちでつくるところから始め、その舟で標高三八〇〇メートル、面積が日本の四国の半分ほどもあるチチカカ湖を、風力と人力のみで一周する旅に出ていたのです。

結局、消息が不明だったのは、遭難していたのではなく、郵便も電話もない湖畔の小さな村むらを訪れながら進んでいたからでした。

彼らは葦の舟に「祭」と一字大きく書いた帆を張り、少しの荷物と食料、そして本と楽器を積みこんで、チチカカ湖一周旅行へ出発しました。風のない日は交代で櫂《かい》を操り、浜辺浜辺で野宿をしながら、海のように広大な水面とさえぎるもののない大空の間を、時に静かに、時に風雨に翻弄されながら進んでいったそうです。

そして訪れた先の小さな村むらで楽器の演奏をしたり手品を披露したりして、そこに住む子どもや村人たちと交流し、時には小学校に泊めてもらったり、積みきれないほどのジャガイモをもらったりして旅を続けていました。

わたしは彼らの出航当時、クスコにはおらず、彼らの旅のくわしい事情はわかりませんでしたが、その消息不明の期間にも、わたしはコージさんを信じていました。コージさんならきっと大丈夫だと、なぜか心から思えたのです（もちろん一人ではなく気心の知れた屈強な旅の若者が四人もそろっているのだし、まずめったなことは起きないだろうと思えたということもありますが）。

出航してから半年後、彼らは真っ黒に日焼けし、高地の寒さに着ぶくれしたボロボロの服と、もじゃもじゃのひげ面の中に笑顔をたたえ、クスコへと戻ってきました（余談ですが、この旅の発案者は、この葦舟でのチチカカ湖一周旅行をきっかけに国際的な葦舟プロジェクトに参加することとなり、スペイン人の船長とともに巨大な葦舟で太平洋を渡ることになりました）。

チチカカ湖一周の舟旅を終えた男たちは、その後、気が向いた時に、まるで大事な宝物を他人にもちょっとだけ見せるかのように、この旅でのエピソードを話してくれることがあり、わたしはまるでおじいさんやおばあさんに昔話を聞かせてもらう子どものように、そんな話を聞くこと、それを語る時の彼らの生き生きと輝いた楽しそうな顔を見るのが大好きでした。

さまざまな話の中でも、「コーさんの甘いおじや」と呼ばれる、メンバーの疲れがとれるようにという配慮から砂糖がたっぷり入っていたというコージさん特製の料理の話（みんなはそれをおかしいと思いながらも、せっかくつくってくれたのだからとしばらく誰も言い出せずにいたというあたりに、彼らの人柄があらわれているエピソード）や、大切な櫂が流されそうになって冷たい水に飛びこんだ時の話、上陸して用を足す時に、イチュと呼ばれる固い棘《とげ》のような葉をもつ植物が運悪くメンバーの一人のおしりに刺さってしまった話や、嵐の夜に危うく遭難しかかった時の話は大好きで、何度でも聞きたくなってしまうほどでした。

とくに嵐の夜の話は、命に関わる深刻な状況とバカバカしさが同居していて、彼らの旅の象徴ともいえるエピソードかもしれません。彼らの語るところによると、ある嵐の夜に舟が流されそうになり、みんなで凍えるような水に入って舟を引っぱり、なんとか陸へ着けると、どうにか難を逃れることができたそうですが、服や荷物がびしょぬれになって着替えるものすらなくなってしまったのだそうです。

そしてその時、唯一無事だった衣服が、おしゃれでお祭り好きな男・コージさんの、いざという時のために用意してあったド派手なパーティー用の服の数々で、それらは几帳面にもきちんとビニール袋で管理されていたので、水難を逃れていたのだそうです。

生きるか死ぬかの標高三八〇〇メートルの嵐のチチカカ湖で、無謀な男たちが、キンキラのシャツや原色のパンツをはいて、身を寄せ合って暖をとっていたかと思うと、本当におかしさと、バカバカしさと、痛快さを感じて笑いがこみ上げます。そんなふうに、生きることを全力で、本気で楽しむことのできる彼らが、わたしは大好きでした。

のちにコージさんが長かった滞在を終えてとうとう南米を出て、また一人旅を続けていた頃には、ヨーロッパへ渡り、スペインを経てさらに対岸のアフリカ・モロッコへも渡っていました。

集落から何キロも離れた海岸の洞窟で、その美しい景観に誘われるまま、しばらく一人で過ごしたこともあったといいます。焚《た》き火を起こし、魚を焼き、湧き水をくんで何日も何日もその洞窟で寝起きしたそうです。その時は地元のモロッコ人が毎朝焼き立てのパンを届けてくれるようになり、タコ漁に誘われて一緒にタコを獲ったりしたなどと、あとになってわたしが尋ねる数々の旅の話の中で、思い出したように話してくれたりするのでした。

まわりからみれば無茶をしているようでも、自分の中で、これはできる、これはできないという状況判断をして行動していることは確かで、自分でできるはずだと踏んだことは、結局やりとげてしまうような旅をしていました。

そんな旅の時代も含めた経験から、こんなエネルギーをもつ人が一度やると決めたことならば、本当に実現するかもしれないと思わせる何かが、コージさんにはつねにありました。

家づくり

こんなことが、苦しい開拓時代にわたしを支えた精神的な背景でした。そして、わたしの信頼に応えるように、コージさんは着々と家づくりを進めていました。それが今も住んでいる家なのですが、これは群馬から運んできた材木を使って建てられたものではなく、近所の集落で取り壊すことになっていた地元の方の木造ガレージの骨組みをもらいうけ、山へ運んで組み立てなおし、玄関とキッチンスペース部分を付け足してつくられたワンルームの小さな家です。

内部には一二畳の畳部分と、そのまわりを囲むように板張りの床があり、窓にはおじいさんの家から運んできた木枠でできた古い小さなガラス窓が使われています。この窓のガラスは年代もので、均一でない厚みが微妙な凹凸をつくっているらしく、窓の向こうの山の景色がゆらゆらと少しゆらぎ、なんとなく趣きのあるノスタルジックな雰囲気に映ります。

外壁にはやはり、おじいさんの家の屋根のヌキと呼ばれる部分だった板が張ってあり、すすけてこげ茶色になった肌に長い間ほかの材木が重なっていた場所が同じ間隔をおいて薄い砂茶色になって残り、遠目で見ると、まるで童話の中のお菓子の家のようです。

内部に張られた床は、長男が産まれる頃、コージさんが東京の実家の近くにあった見知らぬ工務店に飛びこんで「余っている材木はないでしょうか」と尋ねたところ、扱いづらくて大工が手放したといういわくつきの床材をまとめていただいたもので、不ぞろいで反っている板が多かったものの、とても硬くて質がよく、しかも床と壁一面に張るだけの量がありました。おかげで室内は木のぬくもりのある落ち着いた雰囲気になりました。

こう書くとずいぶん順調に家づくりが進んでいったようですが、当のコージさんにはきっとわたしにもはかり知れない、数えきれないほどの苦労があったことだろうと思います。

電気が来ていなかったので、電動工具類がいっさい使えない状況が長く続いていました。電気がなかなか来ないのは、棚田の中に電柱を通さなければならなかったためでした。田植えのために水を張った田んぼのすぐ脇のあぜに電柱のための穴を掘れば、田んぼから水がもれ出てしまいます。電柱を立てるのは、稲刈りが済む秋まで待たなくてはなりませんでした。

東京の実家に身を寄せたわたしも、この時期、一カ月に一度くらいは赤ちゃんを連れてビニールハウスを訪れていました。実際の電気は来ないまでも、夏には借りた敷地の隅に家へと電気を引きこむための支柱が立ち、まだまわらない電気のメーターを眺めながら、これが本当にまわる日が来るのか、電気が来るという話がこのまま立ち消えてしまわないだろうかと案じながらも、その時その支柱が、まるで天へと続く希望の柱のように見えたことを覚えています。

これもまたのちに彼から聞いた話になりますが、この山の中での独力の家づくりで一番大変だったことはなんだったかというと、とにかく「経験がない」ことだったといいます。人の家づく

独力で家づくりをするコージさん。棟上間近

りの手伝いを少ししたことがあったとはいえ、全面的な家づくりは彼にとって、何もかもが初めてのことだったのです。

斜面地の整地に始まり、水平を出す作業、基礎工事、柱を立てること、筋交《すじか》いを入れること、梁《はり》を渡すこと、屋根をつけること、窓枠を取りつけること、断熱材を入れること……。何もかもが未経験のことばかりでした。しかも、土台となる地面は平らではなく、垂直や水平を出すには三〇センチ物差しくらいの水平器か、一定の位置で水平に張った糸だけが頼りでした。

一人では、柱を垂直に立てるという作業も、誰かにもってもらって微調整するということすらできなかったといいます。柱を立て、その上に梁を渡していく作業も自分の力だけが頼り。一番太い梁は、集落の植木職人さんから滑車をお借りして、なんとかやりとおしたそうです。

彼の建築に関する情報源はほとんど、図書館などで借りてくる書物でした。そんな初めてのことばかりの家づくりの中でも、コージさんがもっとも重要と考えたのは、基礎の丈夫さと通気性のよさでした。

整地したとはいえ、もともと傾斜地なので、斜面の山側と谷側では一メートル程度の高低差が生じます。そこがいわゆる高床式のつくりとなって床下の空間が抜けているので、できあがった家は考えどおり、湿気のこもらない家となりました。湿気がこもらないということは、材木や壁が腐敗しにくいということにつながります。

建築の材料となる木材も、解体現場で不要なものをもらってきたり、地元の方の声かけでいただいたリサイクル材ばかりを使いました。したがって長さや形状、太さなどもまちまちでした。不ぞろいの材木で家を構築していくのは、さぞかし効率が悪く、手間のかかる作業を強いられたことと思いますが、安易に買って済ますのではなく、手に入るものを有効に使うということもまた彼のこだわりだったのです。

電気がないことで電動の工具はまったく使えない状況が続いていましたが、電気が来ないことにあせりはなかったといいます。いつか、電気が通る。それまでにできることをできるだけやっておこうという気持ちだったそうです。しかし、何かと出番の多い、ビスを打って材木を固定していくインパクトドライバーだけは、ほうぼうのスーパーや、ネジ釘を買いに行くホームセンターなどで、店員さんのご好意で充電させてもらうことがたびたびあったといいます。

このホームセンターなどに行かなければならない用事も、時間のない時には大変な負担になりました。片道三〇分かけて買い物に行っていては、ビス一箱買うのに下手をすると半日つぶしてしまいます。電気がないので、仕事にあてられる時間は日没まで。田畑の面倒を見ながらの家づくりは時間との闘いでもありました。

日が沈めば真っ暗闇になる山の中で、彼は何を思い、何カ月もの長い夜を過ごしたのでしょうか。チチカカ湖やモロッコなど、野宿して星空を眺めたたくさんの旅の夜を思い返していたかもしれません。コージさんは、旅を終えて妻子のためにまったく違う人生を歩き始めたのではなかったのだと思います。旅をしている間も、山の開拓をしている頃も、コージさんはひたすらに、何に屈することもなく自分の人生を生きていたのだと思います。

畑よ、よみがえれ

彼のやるべきことは家づくりだけではありませんでした。これからの生計を立てるため、田畑をつくり、人様に買っていただけるような米や野菜を育てていかなければなりません。肝心の農地は、先に述べたように荒れ果てた耕作放棄地。もちろん、耕耘機も何もありません。ただただ、自分の手で少しずつ少しずつ畑をよみがえらせていくしかなかったのです。

コージさんはもともと東京生まれの東京育ち。小学校の時、お父さんの転勤で北海道に住んでいたことがあるということですが、東京に戻ってのちの中学校は東京タワーのすぐ下にあったという、いわば根っからの都会っ子です。サラリーマン時代に勤めた会社も、東京のど真ん中。社会がバブル経済の好景気に沸く中、来る日も来る日も仕事ばかりの毎日を送ったそうです。

しかし、都会にあっても草木を育てるのが上手な、植物が大好きなお母さんのもとで育った影響もあってかなくてか、ゆくゆくは自分の力で自給的な暮らしをしていこうと思い描きながら、会社をやめて海外での長い旅を続け、行く先々でここは自分が移住する土地になりえるだろうかと考えたといいます。

でも、それまでに有機農家で研修したとか、農業学校で学んだということはなく、旅の合間に住みこみで群馬県嬬恋村《つまごい》のキャベツ農家の仕事を手伝ったことが唯一の農業経験で、しかもその農家は有機栽培でも無農薬でもないキャベツの単一栽培農家でした。実質、多品目の野菜を無農薬・有機栽培でつくるということは、ゼロからの出発に等しかったのです。

移住後の数年はつねに、夜になると山積みになった農業書を読みふける彼の姿がありました。

移住初期の畑の様子。まだ家庭菜園のような面積だった

長男の生まれた年の春から彼の山の開拓生活が始まり、ほとんどの時間を一人で過ごす暑い夏が過ぎ、やがて秋になって無事電気が通るようになってからは、日中は田畑の世話をし、夜は電気をつけて家づくりの作業をするようになりました。

このビニールハウス時代の彼の精神状態は、鬼気迫るものがあったに違いありません。やるべきことを考えるうち、夜が過ぎて眠らないままに朝を迎え、そのまま、また働きずくめの一日が始まることが何度もあったといいます。結局、山に手を入れ始めて七カ月で家が建ったのですが、電気もない山の中、田畑の面倒を見ながらの家づくりは余裕のある状態にまかせていたら、もっともっと長い時間を要したことと思います。

コージさんがめざすのは、有機堆肥による無農薬栽培の野菜づくり。化学肥料の力ですぐに土の養分を増やすわけにはいきません。畑の土中の微生物やミミズの力を借りて、少しずつ、眠っている畑を肥えた豊かな養分をもつ土に変えていかなくてはなりませんでした。それは、一朝一夕にどうなるものでない、長い長い時間の必要なことでした。

彼は一人黙々と畑を耕し、堆肥を入れ、土づくりを始めていました。そして、地元の農家の方に尋ねながら、ほとんど見よう見真似、独力で育てた初めての稲が、その初めての秋から立派に実ったのでした。

本来ならば農協や個人の農家の農業研修を受け、おおまかなノウハウを得てから独立するのが一般的なのだと思います。しかし、彼はその道を選びませんでした。初めから自分のめざすべき農業のかたちがはっきりと見えていたからです。農協出荷などで一品目を大量に生産するやり方では、自分たちの日々の食をまかなう多品目の野菜は収穫できません。もちろんたくさんの知識が得られるまたとない機会だとはいえ、目標とするやり方が違う以上、もし農協の研修などを受け、一品目を大量に出荷する農業のかたちを覚えてしまったら、収入は早く安定しても、かえって自分のめざす農業へたどりつくまでに遠まわりをすることになったのかもしれません。

畑で過ごす時間の中で、コージさんは、自分が野菜をつくっているのではなく、土中の微生物や、太陽の光や雨が植物を育てているのだということを感じるといいます。自分がしているのは、それをじっと見つめることだと。何が不足しているのか、何がありすぎるのか、それを見きわめてよりよい状態へもっていく手助けをしているだけだと。

もちろん初めの頃は知識も経験もなく、すぐによい野菜などできるはずもありませんでしたが、それでも、ただやっていくしかないと思っていたそうです。失敗して、失敗して、経験を重ねていくしかないと。のちには耕耘機などを手に入れ、機械の力を多少借りることにするとしても、まずは人間一人で何ができるのか、それを感じてみたかったといいます。山の中で一人、自分の手と鍬《くわ》一本で、人類が綿々と続けてきた農という営みの追体験をコージさんはしていたのかもしれません。

周囲の人の話にも、注意して耳を傾けたといいます。自分の疑問点に経験者はどう対処するのか。でも一人ひとり、畑の状態や土のコンディション、農業の形態も少しずつ違う。結局は、何よりも自分の経験にもっとも学んでいったのだと思います。彼がめざさなければならないのは、趣味の家庭菜園ではありません。すぐにも家族を養うため、お客様に買っていただく野菜をつくる、栽培のプロにならなければならなかったのです。

完成したワンルームのわが家。左手に風呂を増設

新しいわが家

その年の暮れ、小さな赤ちゃんだった長男が、よちよちと伝い歩きを始めた頃、わたしたち家族の新しい小さな家が完成しました。完成といっても、まだちゃんとしたトイレやお風呂はありませんでしたが、電気がつながり、台所の流しで蛇口をひねれば山からの沢水があふれ出し、つややかに光る木張りの壁際のカウンターには電話も置かれ、コージさんが自分の実家から運んできたテレビさえ見られるようになっていました。

今は渡り廊下でつながっているお風呂場も、家の前面にある屋根つきのデッキスペースも、この時はまだ影も形もありませんでしたが、やっと家族三人で暮らせる準備が整うと、今度こそ荷物をまとめて新しい家に引っ越すことになりました。

二〇〇一年一二月三一日。長男が産まれた年の大晦日のことでした。待ちに待ったうれしいこの出来事も、ふり返ってみれば、そのあとに続く新たな違う種類の困難の日々の始まりなのですが、この時はただ、新しい家に家族がそろって暮らせることを喜び合い、新しい始まりの時となる記念すべき新年を迎えました。

第3章 とまどい

閉塞感

二〇〇二年の始まりは、わたしたちにとって新しい生活の始まりでした。そして同時に、新しい困難の始まりでもありました。

住む家もなく家族がバラバラだった時の苦しさが、急な坂道を駆け上る短距離走の苦しさだとしたら、この新しい山での生活になじむまでの毎日は、わたしにとって、ゆっくりと、でも絶えずなだらかな坂を上り続けなくてはならない長距離走のような苦しさをもつ日々でした。

これまでのコージさんという人物の行動を見れば、こんなにひたすらに淡々と困難を乗り越える人もいるのかと、もしかしたら驚きとともにお感じになるかもしれません。実際、精神的に余裕のある時の彼は穏かな本当に愉快な優しい人です。

しかし、よく彼は、状況がせっぱつまって余裕がない時の状態を、麻雀用語から転じた「テン

パる」という言葉で表現するのですが、当時、まさにこの「テンパって」いる状態のコージさんほどわたしにとっておそろしいものはありませんでした。そういう時のコージさんは普段の優しい様子から一変、眼光鋭く、語気荒く、荒々しい物音を立てて動きまわります。急激な環境の変化に呆然としていたわたしと違い、つねに先のことを考え、行動し、物事を実現させている彼には、いつも精神的に張りつめた部分があったのでしょう。

山での暮らしが始まってからというもの、子どもの世話以外何もしていない引け目もあって、この頃のわたしは畑仕事から戻ってくる彼の顔色や機嫌のよしあしをうかがうようになっていました。

前年の暮れに完成したわたしたちの家は完全なワンルームで、料理をする時も、食べる時も、布団を敷く時も、眠る時も、幼児を含めた家族三人がつねに同じ空間にいるしかありませんでした。誰かが眠くなれば、壁にコタツを立てかけて、布団を敷くしかありません。反対に誰かが早く起きたとしても、最後の人が起きるまで部屋を整えることはできませんでした。

歩いて行ける範囲に商店や知人の家は一軒もありませんでしたし、移住当初の山道は狭くけわしく、自分で子どもを乗せて運転するなど考えられないことでした。そのうえ、鉄道の駅はたとえ車に乗っても二〇分はかかるところにありました。わたしには自分の力で外の世界に向けて行動できることは何もなかったのです。

この頃のわたしは無意識ながら、ある種の閉塞感の中で日々を暮らしていたのだと思います。今はわたしたち家族を優しく見守ってくれるように見える山の木々たちも、当時はよそよそしく、冷ややかにわたしを見下ろしていました。

そしてこの時期のコージさんは、野菜づくりや収入の問題がすぐに思いどおりにいくわけもなく、目に見えていらだっていることが多くなりました。もともと自分の感情に嘘がつけない人なので、その時の気分や感情がはっきりとあらわれてしまうのです。加えてわたしの意識の低さと無能ぶり、山で暮らすことへの消極的な態度が、よけいに彼をいらだたせていたのだと思います。

こういえば、誰もがわたしも畑へ出て夫婦で力を合わせて農業を始めればよかったではないか、とお思いになると思います。日々さまざまなことに追われるコージさんと対照的に、わたしは子育て以外、本当に何もしていませんでした。「どこへも行けずに山にいる」ということ、ただそれだけで精いっぱいで、これからここで自分にいったい何ができるのか、何がしたいのか、そんなことすら考えられませんでした。急激な環境の変化の中、この新しい自分の暮らしをどんな価値観でどうとらえたらいいのか、わからなくなっていました。ここで一カ月頑張れば、また街へ戻れるというわけではないのです。

徐々に生活が落ち着き、山での暮らしが日常になると同時に、これからずっとここで暮らしていくのだという事実がふいに重い現実となって、わたしの上にのしかかってきたのです。この頃のわたしは本当にとまどうばかりで、気持ちの拠りどころを見失っていました。

まだビニールハウスに寝泊まりしていた頃から、旅の仲間が訪れては何日か滞在していってくれることがありました。やることに追われながらも、そんな時が唯一、コージさんも気分を変えて楽しい時間を過ごせる機会でした。まだ家ができる前、東京にいたわたしも、赤ちゃんだった長男を連れてビニールハウス住居を訪れていたある時、ちょうど流星群が見られるからと、何人かの仲間たちが秋の山に集まりました。

何台かの車に分乗して東京からやって来た仲間たちは、山の環境を楽しみ、斜面に毛布を敷いて山からの澄んだ星空を眺め、わたしたちは流れ星が尾を引くたびに歓声を上げました。なつかしい、旅をしていた頃の自由な感覚がよみがえるような夜でした。

その中には、旅の途中で知り合ったという美しいコロンビア女性を妻にもつ友達もいて、その時もその妻と四歳の娘を連れて来てくれていました。わたしにとってみれば、彼女が日本人と結婚し、異国で暮らしていることは、とても大変なことに思えました。

しかし、その彼女がわたしに言うのでした。

「カナ、あなたはここに住めるの？　ここはきれいなところだと思うけれど、わたしはここには住めないわ」

そして彼らは帰っていきました。ネオンの光り輝く東京へ。夜になっても明かりの消えない街。

歩いて行けるところにあるコンビニ。雨が降ってもぬかるまないコンクリートの道。駅まで歩いて電車に乗り、友達と待ち合わせをしてカフェでコーヒーを飲み、居酒屋で呑んで語り、終電で家に戻る休日。給湯器のスイッチ一つでお風呂が沸いて、シャワーをあび、コマーシャルに出てくるようなシャンプーで髪を洗う、普通の日々の中へ。

もしも、わたしも戻れたら？　もしも、わたしも帰れたら？　慣れ親しんだいつもの日々へ、変わらない日常へ。こみ上げそうになる気持ちを押し殺し、真っ暗な山道を遠ざかっていく彼らの赤いテールランプの光を見送りました。

わたしはここに住めるのだろうか？　その問いがわたしの頭から離れませんでした。もしもみんなのように街に帰る場所があり、ここがただ遊びに来ただけの場所だったら、わたしも彼女のように言えたかもしれません。「ほんと、きれいなところだよね。でもさすがに、これからずっとここに住めと言われたら、わたしにも無理だろうな」と。

でも、もうわたしたちの人生は動き始めていました。もしわたしが無理だと思えば、すべてがやりなおしです。しかし、コージさんは一度決めたことをひるがえさないだろうと思えました。やりなおすといってもほかに行くところもありません。わたしが一緒にやっていけないというなら、わたしたちは別々の人生を歩んでいくしかないという結論になるのかもしれませんでした。

でも、わたしたちにはすでに大切な子どもがいました。わたしには、ここには住めないと思う

訪ねてきてくれた旅仲間と。田植えの合間の休憩タイム

ことはできませんでした。それに、結局は自分が悪いのです。場所決めという大変な仕事を彼にまかせて東京にいたのですから。こんなせっぱつまった、資金も時間もない状況で、一〇〇パーセント満足のいく好条件の土地が見つかるわけがありません。

そして彼は、決してわたしのことを考慮に入れなかったのではなく、自分の伴侶となった人間なら、この場所をきっと受け入れるだろうと信じたのだと思います。場所について何か言うのなら、どんなに大変でも、その時期に一緒にいて、同じようにいろいろな土地を見てまわるべきだったのです。

子どもを家族の中で育てたい。ここでやっていくしかない。自分たちの進んできた道の、その先に続いていたのがこの道なら、苦しくてもこの道を進むしかないと思いました。けれどやっぱり「自分ならここでやっていける」という確信がもてないまま、わたしは新しい生活を始めていました。

今、都会での勤めをやめ、農業の道を選ぶ若い人たちが増えているといいます。若い人にかぎらず、自分の人生をより豊かなものにするために、退職して新規就農する人たちが増えてきているそうです。わたしたちの住む八郷の地にも、毎年確実に新規就農を志す家族が増えています。

この頃、そんな夫婦と接するたびに、とくにその奥さんたちに、わたしはひそかにどこかで気後れのようなものを感じていました。彼女たちは何か、わたしのもち合わせていない美徳を兼ね備えているような気がしてしまうのです。

戸外での労働をいとわず、夫婦対等に同じ仕事をこなす体力や精神力の強さ。大変な生活に覚悟を決めて自ら飛びこんできた意思の強さ。食の安全や保存食をつくることに対する関心の高さ。農業についての知識の深さ。お乳が離れたら、子どもを保育園に入れて自ら畑に出る母としての強さ。

本当はわたしも、彼女たちが農業での暮らしをめざしてきたように、焼きもので生きる道を進んできたはずでした。苦しかったお弟子修業時代を過ごし、下請けの仕事でろくろの勉強をし、メキシコで美術学校の授業に通い、やるべきことをやってきたはずでした。でも、その経験はひとまず、なんの役にも立ちませんでした。農業についてなんの知識もないわたしは、まわりの人と違う、アヒルの子のようでした。

この暮らしが始まる前、漠然とイメージしていたのは「自給的な田舎での暮らし」。そして現実には、確固たる自覚のないまま「農家の主婦」としての暮らしが始まり、小さい子どもを抱えてものづくりを始めることなど非現実的な遠い話になってしまいました。実際、仕事場もなければ、肝心の窯もなかったのです。忙しいコージさんや周囲の農家の人々にすれば、何もつくっていない、農業のこともわからないわたしは、何もせず、ただ子育てをしているだけ。わたしはただ、流れ流される波の中で溺れないように必死にもがいているようなものでした。

彼はわたしにも畑に出るようにとは、一度も言いませんでした。それでもわたしは何が自分の苦しさの原因なのかわからないまま日々を過ごしていました。

考えてみれば、子どもが産まれた瞬間からわたしは母となり、精いっぱいの育児をなんとかこなしてきました。でも、結婚してすぐにまた旅に出て気ままに暮らし、帰国後もコージさんと離れ離れの暮らしの中で子育てだけをしていたことで、わたしはその時点で「母」ではあっても「主婦」にはなりきれていなかったのです。しかもわたしは「農家の主婦」にならなくてはなりませんでした。でも、いつ、何をすればいいのか、何をするべきなのか、まったくわかりませんでした。

誰でも、きちんと教わらなくても、自分の父親や母親のすることを見て、それを無意識のうちに自分の知識として心に蓄えて育つのだと思います。農家に生まれた人は、どの季節に何をするのか、どのように保存すれば食品が長もちするのか、教わらなくてもそれを経験として知っているのです。

わたしはサラリーマンの家庭で、専業主婦の母のもと、住宅街で育ちました。わたしが知っているのはそんな暮らしのことでした。わたしが普通だと感じるのは、町の、住宅地の暮らしでした。自分でも不思議に思うのですが、こんなに「普通でない」暮らしをしているのに、わたしがいつも無意識に基準にしてしまうのは、いわゆる「一般的」な「普通」の暮らしなのです。

わたしのしあわせ

わたしの望む暮らしとはなんだろう。わたしにとってのしあわせとはなんだろう……。山での暮らしが始まってから、いつもそんなことを自分に問いかけるようになっていました。

わたしは、しあわせに育ってきた子どもでした。引っ越しが多かったものの、長く住んだ土地では今も付き合いの続くような幼なじみができましたし、何より両親に愛されて、何不自由なく暮らしてきたのだと思います。学校でも問題を起こすこともなく、成績もそれなりで、友達も多くいたほうかもしれません。

本当は、そのままきちんと就職して、サラリーマンと結婚していたら、平穏無事に暮らしていたのでしょう。わたしも普通にしあわせに生きていければいいと思っていました。とくに人と変わったことはなくていいと。でも、わたしはいつでも、本当の自分のしあわせが見つからずにいました。周囲の友達と、何かが違うのです。

年頃になって、街へ出かけると、友達がショーケースに光るアクセサリーを見ながら「この指輪かわいいよね」「こっちのネックレスがいいなあ」と指差します。わたしはちっともそれがほしいと思えませんでした。流行の服も、靴もカバンも、わたしを本当にしあわせにしてくれそうにありませんでした。わたしはいつだって手ぶらに、ジーンズとスニーカーでよかったのです。

化粧に凝る時期も結局は一度も訪れませんでした。そして、うわべだけの心のない会話に加わるのは何よりも苦手でした。それなら一人でいたっていい。高校生の頃、休日に女友達と連れ立って買い物に行くということはまずありませんでした。

しあわせに生きたい、周囲からはぐれたくはない。でも、みんながしあわせだと感じるものがわたしにとって無意味ならば、自分のしあわせを自分で見つけなくてはいけないと感じていました。

そして二〇歳になった頃、周囲を驚かせながらも、一人で南米へ旅に出ました。そこにすべてがありました。わたしがずっと探していたもの——南米で出会った旅人たちにとって、大切なものは物質ではありませんでした。人と人との出会い、ともに過ごす時間、自分が今ここに生きているという実感。わたしは自分の居場所と、自分の仲間にやっと出会えたような気がしました。

そして、この山での暮らしがその先に待っていました。とても苦しいけれど、南米からこの場所へ、わたしの道が続いているのなら、わたしは決して道に迷ったわけではないと思いました。

これは、わたしの道だ。確かに普通の暮らしではないかもしれない。でもみんなと同じような「普通のしあわせ」はわたしのしあわせではなかった。ここには、普通のしあわせはなくても、もしかしたら「わたしのしあわせ」があるのかもしれない。

そう思いました。

努力

そのあとに続く日々は、慣れないことを少しずつ自分の経験へと変えていく、努力の日々でした。

まず、コージさんが収穫した野菜だけでごはんをつくるということ。これは、慣れるまでには地道な積み重ねが必要でした。さいわい、料理をつくること自体は嫌いではありませんでした。

でも、わたしが知っている料理のやり方は、まず献立を決めるところから始まって、買い物に行き、その日のお買い得品を買ってメニューに加え、買ってきた食材を冷蔵庫にしまい、あらかじめ決めていた料理を予定どおりつくることでした。

今でこそ、冬にトマトやキュウリがあること自体が不自然に思えますが、スーパーで買い物をしていた頃は、何がその季節の旬のもので何がハウス栽培なのかも、まったくといっていいほど理解していませんでした。季節を問わず、この料理にはこの野菜、という固定観念があったのです。ナスのカレーをつくりたければ、冬でもナスを買ってきて、レタスとトマトのサラダをつくるのです。これがどんなに不自然なことであるか、当時はよくわかりませんでした。

そもそも買い物にも満足に行けません。コージさんが栽培した野菜だけを使ってごはんにしなければならないのです。彼が畑からもってくるのは、否応なしに旬の野菜だけ。それ以外は採れないのですから。夏には、ピーマン、ナス、ミニトマト、明けても暮れても同じ夏の野菜ばかりです。冬なら大根、ニンジン、白菜、カブ……。もちろん冬の野菜しかありません。しばらくはごはんをつくることが苦痛に思えてしかたがありませんでした。

春は春で、コージさんが山からタケノコや山菜を採ってきます。「これ、使ってよ」と言われても、どうやって使えばいいのかわかりません。せっかく採ってきた野菜や山菜を放置して、彼をよく怒らせました。

そんな中でも、少しずつ努力を続けました。自分をしばる固定観念からなんとか抜け出そうと、これまでの料理を違う素材でつくってみたり、同じ野菜を使っても、どれだけ違う料理ができるかと試行錯誤を続けました。それまで知らなかった、いろいろな野菜や穀類の下処理や山菜の扱いも、本を見たり人に聞いたりしてなんとか少しずつ覚えました。

大豆は一晩水に浸し、翌日、弱火でコトコト一時間ほど煮るとやわらかな水煮ができる。わらびやぜんまいは、平らなバットなどに並べて灰をかぶせて熱湯をまわし、一晩置いておくとあくが抜けておいしく食べられる。タケノコは固い穂先を切り落として、皮付きのまま米ぬかをまぜた水か、お米のとぎ汁でタカノツメとともに一時間ほど湯がいて、そのまま一晩置けばえぐみがとれる……。

でも、初めの一、二年は、せっかく覚えたつもりになったことも、ふたたびその季節がめぐってくる頃にはもううろ覚えになっているため、そのたびにまた覚えなおさなければなりませんでした。そんな頭の中の「知識」が本当にわたしの身についたのは、何年かたって、その都度困りながら経験を重ねてのちのことでした。

買い物に行けないことで、家の中だけで完結する料理を覚えました。粉を練ってパンや肉まん、餃子の皮をつくったり、実家に眠っていた古いオーブンで自分や子どものためのおやつを焼いたりするようになりました。

自分の手を使って、自分の力だけで、何かおいしいものができあがるということはわたしを力づけ、子育て以外何もできないわたしの喜びになりました。新しい魔法でも覚えたようにワクワクしました。何よりおいしいものをつくると、忙しさに不機嫌になりがちなコージさんが笑顔を見せてくれることが、とてもうれしく思えました。

山に住み始めてしばらくしてから、収入を得るため、コージさんが栽培した無農薬野菜の宅配を始めました。もちろん始めたばかりの頃は、まだすべての野菜がいいできとはいえず、小さかったり形が悪かったりして、決して自信満々で始められた仕事ではありませんでしたが、彼が野菜をつくり、わたしがチラシをつくって、まずは個人的な知り合いにお知らせして、少しずつお客様の開拓が始まりました。この、一番初めからお付き合いいただいているお客様には本当に感謝していて、この方々のおかげで今日があるのだと思っています。

何かお客様の役に立てることはないかと思い、毎月「飯田農園通信」という手書きの通信を入れるようになりました。山での暮らしや、季節の出来事、旬の野菜を使ったおすすめの料理や野菜についての説明などを書いて野菜とともに送りました。

これは、二人目の子どもの出産などで一時中断しましたが、今もずっと続けていて、ファイルした今までの通信に目を通すと、よくもまあこんなに書いたものだと、いつのまにか、われながら驚くような量になっています。

実際の農作業の戦力にならないわたしにも、少しでもできることはないかという気持ちで続けてきたことでしたが、今では「通信を読むのを楽しみにしています」とか「オススメ料理、とても役立っています」などと言っていただくことも増え、まがりなりにも飯田農園の宅配便に色を添えているようです。

「毎月毎月、よく違う料理の紹介ができますね」と言われることがありますが、毎月お客様におすすめの野菜料理がご紹介できるのは、この不慣れな日々の中で、毎日、同じ野菜で自分の食卓のためにいろいろな料理をつくってこなければならなかった経験があってこそです。もしも買った野菜やお惣菜で済ますことができていたら、こんなに工夫する必要はなかったでしょう。この不便な生活が、結果的に、のちのわたしに福をもたらすことになったのです。

薪ストーブ

この暮らしに慣れるまでに苦労したのは、料理だけではありませんでした。今思えば、ささいな、ちょっとしたことすべてが、初めてのことばかりだったのです。

たとえば、冬場の暖房は山の薪《まき》を使って薪ストーブを燃やします。薪の火つけは慣れない者にとっては難しく、わたしはいまだに薪がちょっとでも湿っているとなかなか火がつけられません。

冬場のストーブはコージさんがすべて管理してくれるのですが、そのストーブの上の熱をどう活用するかということが、長いことわたしの身につかず、彼をイライラさせました。

ストーブの上は平らで鍋ややかんなどが置けるようになっていて、ただ置いておくだけでお湯が沸いたり、煮物が煮えたり、スープが温まったりする便利なところです。ところが、わたしはヒーターで部屋を暖める暮らしに慣れていたので、初めのうちはストーブを活用するという感覚がなく、むしろ沸いたお湯をポットに移したりするようなささいなことをわずらわしく感じていました。

反対にコージさんは、自分で薪を確保し、火の管理をする大変さがわかっているので、その熱を最大限に利用できるよういつも気を配っていました。お湯が沸いてもそのまま放っておくわたしを見かねて、いつもコージさんがポットにお湯を移し変えます。それを見て「アッ、お湯が沸いていたなあ」と思うのですが、身についていない習慣なので、彼より先に意識してパッと行動に移せないのでした。

わたしがこのストーブの熱を有効に使えるようになったのは、やはり実際の経験の中でその熱の性質を理解し、ここを使えばこんなに便利なんだと実感するようになってからでした。

どんなに寒い冬の夜でも、沸いたお湯をポットに移してとっておかなかったら、食事の片付けの時にお湯もなく、冷たい沢水だけで洗いものをしなければなりません。布団に入れる湯たんぽのお湯もありません。冬場にストーブを使って料理するように工夫すれば、なくなり次第、町まで充填《じゅうてん》しにいかなくてはならないガスボンベのガスが、夏場にくらべてあまり減らないと感じるようになりました。

薪ストーブに熾《おき》（赤くおこった炭火。おき火）が残っているうちに鍋に下準備をして出かければ、帰ってきた時には充分料理の下ごしらえができているのもわかるようになりました。一晩水につけた豆をたくさんの水と一緒に鍋に入れてストーブの上に乗せておけば、夕方にはやわらかな大豆の水煮ができています。

こうして「怒られるからやらなくちゃ」ではなく「便利だからやっておこう」と思えるようになってから、薪ストーブの扱いが身につき始めました。

新しい道

山での生活が始まって、不慣れと不自由の多かったわたしの暮らしの転機となったのは、移り住んで一年くらいたった頃でした。集落へと続く家の前の急斜面の悪路が少し広がり、砂利も入って、通る時の危険が減ったのです。

このわたしたちの生活を支える細い道は、じつは市町村が管理する「町道」で（石岡市になった今は市道なのでしょうか）、その素朴なたたずまいと、たいそうな名称の落差にいつもクスリと笑ってしまうのですが、これが町道だったからこそ居住者がいるということで、土地の地主さんを通じ、町の補助を受けて改善補修をしてもらえることになったのです。

わたしたちの家は先にも述べたように山の中腹の斜面にあり、集落からの小道はわが家の前を通り、そのまま途切れずに山の中ほどで林道に変わって、笠間市へと続く峠道に抜けています。峠へと抜ける道は、八郷の町中へ出るには遠まわりにはなりますが、林道まで出るとわりと広めの舗装道となっていて、山への不法投棄を防ぐために備え付けられたチェーンの開閉をしなければならないという手間はかかるものの、山道としては比較的安全に出入りができるようになっています。

改善以前は、その林道へ出るまでの未舗装の部分がV字型にえぐれているような状態のうえ、いたるところ木の根や岩などでデコボコしたきわめて細い道で、とてもわたしのような初心者の通れるような道ではありませんでした。ところが、そこに地元の方の手でユンボが入り、砂利が敷かれると、道幅が広がり、デコボコがなくなって、わたしでもなんとか日常生活に利用できるような道になりました。真新しい砂利が敷きつめられたその道の上に立って、木立の中を続いていくその先に目をやると、まるでその向こうからわたしのほうへ新しい風が吹いてくるように感じられました。

しかし、部分的に改善されたとはいえ、一般道へ出るまでの道の全行程としては依然幅がないうえにかなりの傾斜があり、慣れない運転では、急な、しかもカーブのある斜面を勢いをつけて上ることはとても難しいことでした。わたしはひとまず、未舗装の坂道は下り専門にして、上りとなる帰り道は、遠まわりして笠間への峠道（片側一車線の一般道）の途中から林道へ入り、また斜面を下って家に戻るという一方通行のルートをつくって出入りするようになりました。

そうしてわたしはおそるおそるハンドルを握り、下界へと降りていくようになりました。しかしその道は、教習所のコースにたとえるならば、狭路講習のS字やクランクです。失敗したら白線を踏んで減点とか、ポールに当たるとかではなくて、失敗したら即、脱輪するか、側溝にはまるか、田んぼや急斜面へと転落するのです。自由に行動できるようになるとはいえ、この道を抜けて下界へと降りていくのは、当時のわたしにとってはかなりのプレッシャーでした。

コージさんはかばうでもしかるでもなく、運転をこわがるわたしにいつもこう言うのでした。

「できないと思ったら、それで終わりだ」と。

習うより慣れろとよく言います。山暮らしはまさにこれの連続でした。どんなに苦手なことでも、飽きるほど何度も何度もくり返しやれば、そのうち必ずコツがわかってきます。急な斜面の前に減速、ギアを低速に変える、ゆっくり、でもパワーを落とさずに発進する。どのカーブでギアを変え、どの位置でブレーキを踏み、どこで加速するかという一連の流れをいつのまにか手足が覚えていきました。

　そしてある時わたしは、教習所以来、大の苦手だった坂道発進の意味を、頭の中にパッと電気がつくように理解できたのです。

　坂道の途中で止めてしまった車を上へ向けてもう一度、発進させなければならなかった時です。エンジンが始動して、クラッチがかみ合うまでの間、ブレーキを離すと車が後ろへずり落ちていってしまいます。この、上へ向かう動力が有効になるまで、車をストップさせておく力がほしい……！

　そうか！　それでサイドブレーキを使うのか！　と、それまで習った手順を踏むだけだった坂道発進の意味を、その時初めてはっきり理解したのです。そしてクラッチがつながったらサイドブレーキを解除して、ゆっくりアクセルをふかしていけばいい。そうか、坂道発進とはそういう意味だったのかと思いました。その時以来、わたしにとって坂道発進は「困難」ではなくなりました。坂道での問題を解決してくれる「手段」となったのです。

　慣れない運転をし始めた頃、世の中にはせっかく免許を取ったのに、結局ペーパードライバーになってしまう人がいるということが実感としてわかるような気がしました。わたしも、もしあんなに必要にせまられていなかったら、運転は苦手だと思うまま今も何もせずにいたかもしれません。でも考えてみれば、こんなふうに徐々に山道を運転し始めてから、脱輪したり転落したりしたことは一度もないのです。

星空のお風呂

徐々に改善されていったのは、道にかぎったことではありませんでした。生活の全般が、暮らしの中で、少しずつ少しずつよくなっていったのです。もちろん勝手によくなるはずはありません。コージさんが忙しい仕事の合間をぬって、あちらこちらと手を加えて住み心地のいいようにしていったのです。

まず、ビニールハウス住居時代にはなかったトイレは、知り合いから、昔大工さんが現場で使っていたという簡易トイレをいただいて、家の外に設置することができました。このトイレの仕組みは単純で、深く掘った穴の上にうわものをただ乗せるだけです。うわものというのは、トタンのような薄い鉄板でできた四角い屋根とドアつきの電話ボックスのような大きさの囲いのことで、その表面を白いペンキで塗りなおし、内部の和式の便器の上に、ホームセンターで手に入れた洋式の便座をかぶせて改良しました。これは移動式トイレで、掘った穴がいっぱいになってきたら、またコージさんが適当な場所に穴を掘りなおしてうわものを移動させていくという仕組みになっています。

洗濯は、洗濯機を手に入れるまでの数カ月は手洗いか、たまに町に出てコインランドリーを利用していました。これはクスコに滞在していた時と同じなので、さほど苦にはなりませんでしたが、やはり大人だけの暮らしとは違って、幼い子どものいる生活では、台所の流しでの洗濯は日々欠かせない仕事でした。

洋服の手洗いをしたことがある方なら誰でもご存知のように、大変なのは洗うことではなくて、水気を絞ることです。とくに冬の寒さの厳しい時などは、たくさんの布を固く絞ることで手がキリキリと痛くなったものでした。

そして、やはりビニールハウス住居時代にはなかったお風呂ですが、現在の別棟に隣接したお風呂場ができるまでは、家の外に囲いもなく置かれた吹きさらしのゴエモン風呂がわが家のお風呂でした。その初代のお風呂は、鉄枠の中に軽いレンガをはめこんだ昔の煮炊き用のかまどの上に直にほうろう製の湯船を据えて、それらを地面に刺した鉄棒と針金で固定しただけのもので、お風呂に入るためには、コージさんが下のかまどに火をくべて、その熱でお湯を沸かしました。煙突などで煙を逃がすような仕組みにはなっていなかったので、火力の強い時には煙が目にしみました。

わたしたちにとっては切実なお風呂であり、どんなお風呂でも、ないよりはありがたいものでしたが、寒風の吹きさらす中、小さな子どもを裸にしてタオルにくるみ、急いで家とお風呂を行き来するのは、母親としては心の重いことでした。

それでも、はた目から見ると、入浴している人の心地よさとは裏腹に、その姿はかまどの上の大きな鍋でぐつぐつと煮こまれているかのように見えて、せっぱつまった状況でも、なんだかおかしくてつい笑いがこみあげるようなお風呂でしたので、たまに訪れるお客さんはとても喜んで「これは最高の風呂だ」と言ってくれました。でもそれは、家に帰れば普通のお風呂があるから楽しめるのであって、わたしたちのように雨の日も寒さに震える日もその風呂しかないとしたら、いつもそんな余裕をもって楽しむばかりではいられないのではと思います。

こんな状況の中、急ごしらえでつくったお風呂ですから、何もかも、必要最小限の部分しかありませんでした。屋根、壁がないのはもちろんのこと、脱衣場や体を洗うスペースもほとんどありません。服を脱ぎ着するのも、体や髪を洗うのも、斜面に渡したびしょびしょの板の上。タオルをかける場所さえも木の枝などで、体をふくタオル、これから着る物、脱いだ物、何もかもがすぐに泥や枯葉まみれになりました。

風呂の水をかえる作業も、底の栓を抜くと下のかまどが水浸しになってしまうため、その都度くみ出さなくてはなりません。雨の降る日は雨の中、雷の鳴る日はその下で、風の吹く日はその中でお風呂に入るしかありませんでした。

初代のお風呂も、開拓期の苦労の象徴のようなものでしたが、そんな中にも、わたしにとって、

初代お風呂に入るコージさんと当時1歳の長男

暗がりにともる灯火のような思い出があります。

その頃、長男は一歳になるかならないかの、まだ言葉も出ないような時期でしたので、わたしと長男は、言葉の助けにいわゆるベビーサインのような手振りを使ってやりとりしていました。といっても特別難しいことではなく、ほっぺをなでて「おいしい」とか、頭をなでて「かわいい」とか、手と手を合わせて「もっとちょうだい」とか、そんな簡単なことです。

ある夜、コージさんが薪で沸かしてくれたお風呂に、わたしと長男が浸かっていた時のことです。長男が、その小さな手を夜空に向けて、手のひらを閉じたり開いたりして問いかけるようにわたしを見ました。

それは、電気やライトなどに向かってするのと同じしぐさで、その小さな手の向こうには、山の澄んだ星空が広がっていました。

長男はまだ使えない言葉の代わりに、手のひらでわたしに、こう語りかけたのです。

「ママ、おほしさまが、きらきらしてるね」

この時の長男の小さな手と、星空と、吹きさらしのお風呂のことを、今もなぜか鮮明に思い出します。つらかった時代の思い出のはずなのに、その記憶はなぜかとても透明で、何か切ないようにわたしの中に光を放っているのです。

平穏に暮らしていたら、わたしの人生にこんなワンシーンはなかったことでしょう。もし家の中に初めからお風呂やトイレがあったら、もちろん快適で便利だけれど、そうしたら、こんなにたくさんの輝く星をこれほど何度も見上げることはなかっただろうと思うのです。ここでの暮らしは普通の暮らしではないかもしれない。でもわたしは、真っ暗な夜の山で見上げる、透き通って鳴り響くような星の輝きを知っている。そんなふうに思う時、自分の暮らしが苦しいのかしあわせなのか、いつもよくわからなくなりました。

初めてのお願い

わたしは子どもの頃から、人に何かをねだるのが得意なほうではありませんでした。それを手に入れたいと思うより先に、子ども心にも、無理に人に何かをお願いすると相手に嫌われてしまうような、願いが聞き入れられなかった時に自分が傷つくのがこわいような、そんな気がして、どんなことでも誰かに頼んでやってもらうより自分の力でやったほうがよっぽど気が楽だ、というように思っていました。

年頃になってもやはりそうでした。コージさんと付き合い始めてからも、何かを買ってほしいとか、どうしてもこうしてほしいとねだったことはほとんどなかったように思います。そんなわたしが、この山暮らしを始めてから、心からほしいと思ったものがありました。わたしがどうしてもほしかったもの。それは「渡り廊下」でした。

初代の吹きさらしのお風呂の時代が過ぎて、やがて家の横に隣接してとうとう新しいお風呂場ができました。これもやはり、いただき物の材料ばかりでできたお風呂ですが、屋根も壁も扉も、脱衣場も湯船も洗い場もある、今度こそちゃんとしたお風呂でした。

湯船の下には空間があり、外から薪をくべてお湯を沸かせるようになっていて、小屋の中には、古いながらも灯油のボイラーも据えつけられ、追い炊きなどの温度調整にはそのボイラーも併用して使えるようになっていました。きれいなお湯に浸かり、タイル張りの洗い場で体を洗い、枯葉や泥がつくことを心配せず、きれいな足のままで脱衣場で新しい服に着替えることができるようになりました。

と、そこまではすばらしいのですが、でもそこから先がやっぱりまだまだ快適とはいいがたい状態でした。お風呂場は独立した別棟になっているため、部屋へ戻るにはせっかくきれいになった足にまた靴をはき、斜面の山側の出入口である玄関まで家の裏手をぐるっとまわるか、谷側の出入口になっている戸のところから部屋の中へ、エイッとよじ登らなければならないのです。

吹きさらしのお風呂にくらべれば段違いの進歩でしたが、それでもやはり雨の降る夜などに、まだ小さい子どもをタオルに包んで両手にかかえ、暗がりの中、ぬかるむ土の上をそろそろと歩いて部屋をめざすのは、せっかくのお風呂上がりがだいなしでした。お風呂上がりのきれいな足のまま、はだしで部屋まで戻りたい。これが、当時のわたしのささやかでぜいたくな願いでした。

そのうちに、コージさんは忙しい農作業の合間をぬって、谷側の戸のところに、ちょっとした縁側のようなスペースと、そこから一段下がった場所に広いデッキスペースをつくり上げました。この新たにできた縁側と隣のお風呂場の入口は、三、四メートルほど離れてちょうど同じくらいの高さになっていたので、ここにもし渡り廊下があったら……と夢見るようになりました。

もし、部屋とお風呂場が渡り廊下でつながっていて、はだしのまま自由に行き来できるようになったら、お風呂のあと、いちいち子どもを抱いて部屋まで戻る必要もなく（その頃には、長男も平らなところくらいは充分歩けるようになっていました）、脱衣場に置かれるようになった洗濯機へもすぐ往復できる。そして何より、お風呂上がりの足に、いちいち泥のついたサンダルや靴をはく必要もなくなるのです。これは当時のわたしにとって、とても魅力的なことでした。

でも、自分だけの力で、斜面が基礎になった地上一メートルの高さに安全で丈夫な渡り廊下がつくれるかといったら、とても無理な話でした。もちろん、誰かに施工を頼めるような資金もありません。

日常生活におけるさまざまなことを農作業の合間合間に整えつつあった当時のコージさんには、やるべきことがつねに山のように積み重なっていました。それに、今やらなくては野菜の収穫に差し障るというような仕事の切実さにくらべたら、渡り廊下なんて、なくてもなんとかなるような、いわばぜいたくの域にあるものでした。つくってほしいと思いながらも、少しでもそれを口にしようものなら、忙しいコージさんに不機嫌な口調で「自分でやってくれ」と言われるのがオチです。

何度かそれとなく提案してまったく相手にされなかったものの、やっぱりわたしは、どうしても渡り廊下がほしくてたまりませんでした。そしてとうとうある日、意を決して「どうしても、渡り廊下をつくってほしい」とコージさんにお願いしたのです。

コージさんはそんな暇はないと言います。それでも、どうしても、つくってほしいとわたしは食い下がります。いやだという相手に、あれほどしつこく何かを頼んだのは、わたしの人生で、あれが初めてだったのではないかと思います。何度もそんなやりとりを繰り返したあと、とうとうコージさんは「こんなことやってる暇はないんだ」とプリプリ怒りながらも、渡り廊下をつくり始めました。

誰でもそうだと思いますが、それまでのわたしにとっても、人を怒らせることも、人に迷惑をかけることも、できるかぎり避けたいことでした。でも、どんなに彼に迷惑をかけて、どんなに彼を怒らせたとしても、その時わたしは、どうしても渡り廊下がほしかったのです。どうやっても、自分の力では無理でした。心からコージさんに頼む以外、渡り廊下を手に入れる方法はなかったのです。

コージさんはストックしてある材木の中から使えそうなものを選んで、半日かそれ以上かけて、渡り廊下をつくりました。部屋とお風呂場がつながるなら、どんな雑なつくりのものでもいい、とわたしは思っていました。忙しい中、やりたくもない仕事を無理やりやらされたコージさんが丁寧なものをつくってくれるわけはないと思えたからです。

作業が始まって何時間かがたち、その日も夕暮れに近づいた頃、彼の「おい、できたぞ」の声に部屋を出ました。

縁側をまわり、それまではただ、家とお風呂場との間の空間でしかなかった場所へ目をやると、なんとそこには、わたしの予想に反して、まだ新しい材木を丁寧に等間隔に切って並べ、曲がるところはそれに沿ってカーブを描き、角をきれいにおとしてそろえてある、それは素敵なきちんとした渡り廊下がありました。

人に何かをしてもらって、あんなにうれしかったことはありません。それこそわたしは飛び跳ねて喜びました。怒りながら仕事を始めたコージさんも、見事にできあがった廊下の上でにこやかに笑っていました。小さな長男も、母親が喜んでいるのを見て、よく訳がわからないながらもやっぱり一緒に喜びました。わたしたち三人はしばらくその真新しい渡り廊下の上でひとかたまりに抱き合って喜び合いました。

いつかわたしが歳をとって、もしも誰かに「今まででご主人からもらった一番のプレゼントはなんですか？」と聞かれたら、きっとこの渡り廊下ができた日を思い出すでしょう。

わたしにとって、あの日の渡り廊下は、抱えきれないほどのバラの花束より美しい、コージさんからのわたしへのプレゼントでした。そしてその日から、もう二度と、幼い長男やわたしの足がお風呂上がりに泥で汚れることはなくなったのです。

本当のうまさ

こんなふうに、いろいろなことがだんだんと改良されていきました。

そして、時間とともに少しずつ少しずつよくなっていったのは、コージさんの野菜についても同じでした。もともとサービス精神が旺盛なコージさんにとって、自分でも自信のもてない野菜をお客様に送るしかなかった頃は、どんなに頑張って仕事をしていても本当に心の重い時期だったのではないかと思います。

とくに、土のよしあしが顕著にあらわれるというニンジンなどは、畑を始めたばかりの頃は本当にやせっぽちで、いわゆるニンジンくささが強い、漢方に使う朝鮮人参《にんじん》のような姿のものしかできない時がありました。

それが、いつ頃からか、皮がぴんとみずみずしく張りつめ、色も鮮やかで丸々と肥って生き生きとしたニンジンに変わってきたのです。それは何よりも、土が豊かに、健康に肥えてきたサインだったのだと思います。

先にも述べたように、コージさんがめざしたのは、有機肥料による無農薬野菜の栽培でした。自然の力を借りて天然の養分で豊かな土をつくっていく有機農業では、いい野菜をつくりたいからといって、一朝一夕にいい土をつくることはできません。手間と時間をかけて、自然と同じペースで歩むしか方法はないのです。

わたしは初めのうち、コージさんがつくるせっかくの無農薬の有機野菜を、町に住んでいた頃の考えや習慣にとらわれたまま使っていました。野菜炒めには、市販の中華だしを振り入れ、お味噌汁にはやはりサラサラと化学調味料である顆粒《かりゅう》の和風だしを入れるのです。

それが変わり始めたのは、図書館で借りた一冊の本がきっかけでした。わたしは本が大好きで、家の中にいつでも読みたい本のストックがないと落ち着かないため、図書館から大量に本を借りてくるのですが、そんな本の中に、会社員であった著者が、料理が好きという純粋な気持ちだけで、単身イタリアへ料理修業に出るというものがありました。

イタリアといえばピザとパスタという画一的な一般のイメージと違い、実際は各地方ごとに、その気候風土に根ざしたそれぞれの郷土料理があって、使う食材もそれぞれ異なります。そして地場のものを使うということにかけては、今の日本など及びもしないくらい、いわゆる「スローフード」の考えが人々の間に強く根を張っているということでした。

著者の出会う料理人たちは、土地の産物を愛し、食材と向き合っておいしいものをつくることに真剣です。食材の個性や特徴を見きわめて、素材の声をよく聞きながら、一番合った料理法でできるかぎりおいしい料理に仕上げる、ということへのひたむきさが、本を通じてよく伝わってきました。

オリーブオイルには冷たいうちに材料を入れなさい。火の通り具合はよく目と耳を使って確かめなさい。色やツヤ、音や水分の動きを観察しなさい。素材の状態を知りなさい。素材のもつ味を感じなさい。料理人たちの声がわたしの心にも響きます。こんなにも食を楽しんで、こんなに真摯に食材と向かい合う料理の仕方があるのかと、感じ入りました。

そして、自分が日々料理をする時、いかに食材に向き合っていないかということを感じ始めました。この料理をつくるには、この材料がなくては困る。わたしの法則といったらそんなものでした。素材を見て料理するのではなく、自分の予定の中に素材を当てはめるやり方だったのです。

こんなに一生懸命に育てられた質のいい野菜を毎日使わせてもらえるのだから、もっと素材に向き合ってみよう。それぞれの野菜がもつ本来の味を感じて、そこから出発するような料理をしてみよう。少しずつそんなふうに思うようになりました。その時からやっと、わたしの閉じていた心は、少しずつ開きだしたのだと思います。

凝り固まった常識から一歩離れてみれば、化学調味料はうまみを人工的に足すためのもの。もし野菜の中にうまみが充分含まれていたら、本来は付け足す必要なんてないのです。絵画にたとえるなら、すでに調和のとれた豊かな色調の水彩画の上に、さらによけいな色の油絵の具を塗り足していくようなものです。

そんなことに気づいてから、化学調味料はどんどん使わなくなっていきました。料理に使う化学調味料が減り、畑の土が豊かになって野菜のうまみがどんどん増していく中で、わたしたちの舌は豊かな自然のうまみを覚えていきました。そのうまみはもちろん、化学的なものほど強烈なインパクトを感じさせるものではありません。それは、あくまで優しく穏やかなのですが、舌や脳や細胞の一つ一つが喜んで受け入れるような、しみじみと体に染みわたるようなうまさなのです。

そんなおいしさを舌が知ってしまうと、それまで平気だった化学調味料のうまみが、なんとも不自然な違和感のある味に感じられるようになってきました。自然のもつうまみと違うのです。舌に乗せた時のインパクトは天然のものにくらべて爆発的に大きいけれど、決定的に違うのは、その後味、食後の体の不愉快さです。ふくよかにふくらんだあと自然に体に溶けていくような天然のうまみと違って、化学的なうまみはベタッと舌に張りついて、いつまでも不快に残ります。

化学物質は体に悪いから、などという理由ではなく、ただ、おいしく感じないからということで、添加物や化学調味料はいつのまにかわたしたちの食生活から遠ざかっていきました。今は、採れたての野菜をふんだんに使って家で手をかけた料理は、つくり手の見えない外食よりも、どれだけ安全でおいしいだろう、としみじみ思います。

もちろん、わたしもたまには街へ出て、ハンバーガーを食べることだってありますし、外食は手軽で、気分も変わって心はずむ楽しいものだと思っています。でも、やはり、たまにで充分です。

添加物がすべて悪いなどというつもりもありません。災害の時や、買い物にも行けない非常時には、賞味期限の長い食品はどれだけ助けになるかわかりません。ただ、その手軽さ、便利さにひたりすぎて、かけられる手間もどんどん省き、化学物質や添加物、出どころのわからない食材でつくられた加工品を常食としてしまうことは、やはりそらおそろしいと思うのです。

流通にのった食品は、もはや食べものというより、「商品」でしかないといいます。巨額の宣伝費を投じて低価格で店に並ぶ大手食品会社の「健康志向」製品も、消費者の健康を考えるのではなく、商品として売れるか否かを考えて、できるかぎり原材料などのコストを省いてつくられたものなのかもしれないと、今は思います。

なぜなら、食べる人や使う人のために、よい材料を使い、心をこめて手間暇かけてつくられたものはどうしても、大量生産や消費期限の延長、薄利多売ができないからです。コージさんのつくる野菜や、地域の人々のこだわりをもった農産物と接するうちに、そんなことがだんだんとわかってきました。

山の暮らしにどっぷりとつからなければ、こういったことにも思いがいたらず、やはり以前のようにただ漫然と、スーパーで買い物をして料理していたことでしょう。

季節と体

自然のうまみについてもそうですが、わたしがコージさんのつくる野菜から教えられたことはほかにもあります。それは、自分の体も、自然の一部だということ。

スーパーで野菜を買わないということは、その季節に採れるものだけを食べる、ということです。外国から運んだり、栽培地域をずらしたりするのは、すべて流通にのせるためにされていることで、個人の規模で自然のサイクルに近いかたちの農業をしていれば、当然、その時に採れるものを、その時に食べるしかありません。

四季の野菜と過ごす日々の中で、わたしにも、その季節に採れる野菜にはその季節に食べる意味があるのだということが、実感として徐々にわかってきたのです。日本には四季があり、寒い冬や暑い夏、木の芽の芽吹く春や湿気の多い梅雨、寒い季節を迎える前の実りの秋があります。どんな植物も、その季節を生き抜くための知恵をもっているのです。そして人間も、動物も、その植物を体にとりこんで、その季節を生きる力をわけてもらうのです。

夏野菜は体を冷やす。冬野菜は体を温める。早春の山菜は体を目覚めさせる。そんなことが、自分の体と自然に近い暮らしの中で、はっきり理解できるようになりました。これも、スーパーで簡単に野菜を手に入れることのできない「不便な」暮らしがわたしにもたらした、大いなる恩恵なのです。

「いただきます」の意味

山の中の一軒家とはいえ、田舎暮らしをしていると、季節ごとにさまざまないただきものをすることがあります。ふもとの集落の方々からいただく農産物やお菓子、子どもがいるということもあって夏にはスイカ、秋には柿や梨、冬にはみかんやりんごといった果物をいただくことも多く、そんないただきものにはわたしも子どもも大喜びなのですが、そんなありがたいいただきものの中にも、時にはちょうだいするのに少し覚悟のいるものもあります。

それは何かといえば、冬の時期ならではのいただきもの、地元のハンターの方が猟で仕留めた野生の鳥獣の生肉です。

わたしたちの住む山は猟区になっており、冬になって猟が解禁されると、毎年何組かの地元のハンターたちが山に入って猟を始めます。そして、この辺りの山で一番の大物といえば、やはりイノシシです。イノシシは田畑を荒らす農家の天敵ともいうべき存在で、とくに山にのぞむ田畑の最前線であるわが家の棚田のイノシシ被害は深刻でした。

しかし、時おり夜の山道でヘッドライトの光に照らされる親子イノシシの姿、とくに昔から

「ウリ坊」の愛称で人々に親しまれてきた子イノシシの姿は、思いがけないほど愛らしいもので、わたしは毎年、ハンターの登場する季節となり、よく吠える犬を荷台に乗せたトラックが山の奥へと入っていくのを見かけるようになると、いつもなんとなく複雑な思いを感じてしまいます。

複雑な、というのは、害獣駆除という必然があるのは理解できながらも、食べるものに困らないこの時代に、果たしてわざわざ山で生きている動物を狩る必要があるのだろうかというような、どこか感傷的な思いがつい胸をかすめてしまうからなのですが、とはいえ、そんな猟の獲物であるイノシシ肉をわざわざ家までおすそわけにもってきてくださるとなれば、やはりそのご好意を無にするわけにはいきません。それに一般市場におけるイノシシの肉は、求めて買えばとても高価な、一種のぜいたく品ともいえる存在なのだそうです。

移住当初、一番初めにイノシシ肉をいただいた時は、勝手のわからないわたしに代わってコージさんが肉を切り分けてくれ、鍋にして食べました。獲物となったイノシシが年老いた大イノシシだったということもあって、イノシシの肉とはとても固いものなのだなあと思ったのを覚えています。

しかし、山での暮らしに慣れるにしたがい、そんな場合の料理もわたしが担当するようになると、その肉を扱うことはかなり覚悟のいるものとなりました。普段、家庭で扱う肉というのは、だいたいお肉屋さんやスーパーで購入し、各部位にわけられてパックされ、衛生的な管理のもとで売られていると思います。しかし、山でのおすそわけの生肉は、そういうわけにはいかないのです。いただく時からしてまず、スーパーでもらってすでに一度使ったような、衛生的とはいいがたいビニール袋に、生の肉が直接放りこまれているような状態で始まるのです。

おそるおそる袋を開けると、そこには、まだこわい毛が二、三本貼りついているような、赤黒い塊が入っています。わたしは袋を閉じてそっと冷蔵庫の奥深くにしまいこんで、忘れたことにしてしまいたくなるような衝動と闘いながら、なんとかまな板の上にその肉塊を置きます。

生のイノシシ肉は、豚肉よりもはるかに赤く生々しく、正規の流通物でないため食肉処理も荒っぽく、血管であろう青黒い線がところどころに残っています。気持ち悪い、などと思い始めたらもう手をふれることなどできません。わたしは、なるべく何気なく、さりげなく食材を切り分けるという気持ちで作業に専念します。それでも、せっかく食すからには最大限おいしく食べようという思いもあって、肉の固さやにおいが際立つ鍋料理よりも、もっとこの肉に合った料理法はないものかと頭をひねり、臭みが強くて食べづらい場合を考えて、下味にはできるだけ生姜やニンニクを使って料理していきます。

そしてそんな日の夕食は、なんとなく厳粛な気持ちで始まります。血の気の多いイノシシの肉は、よく火を通しても赤みが強く、レバーと豚肉の間のような、鯨の肉にも似た濃厚な味わいです。子どもたちはよく下味のついたイノシシ肉のから揚げを「おいしい、おいしい」と言って喜

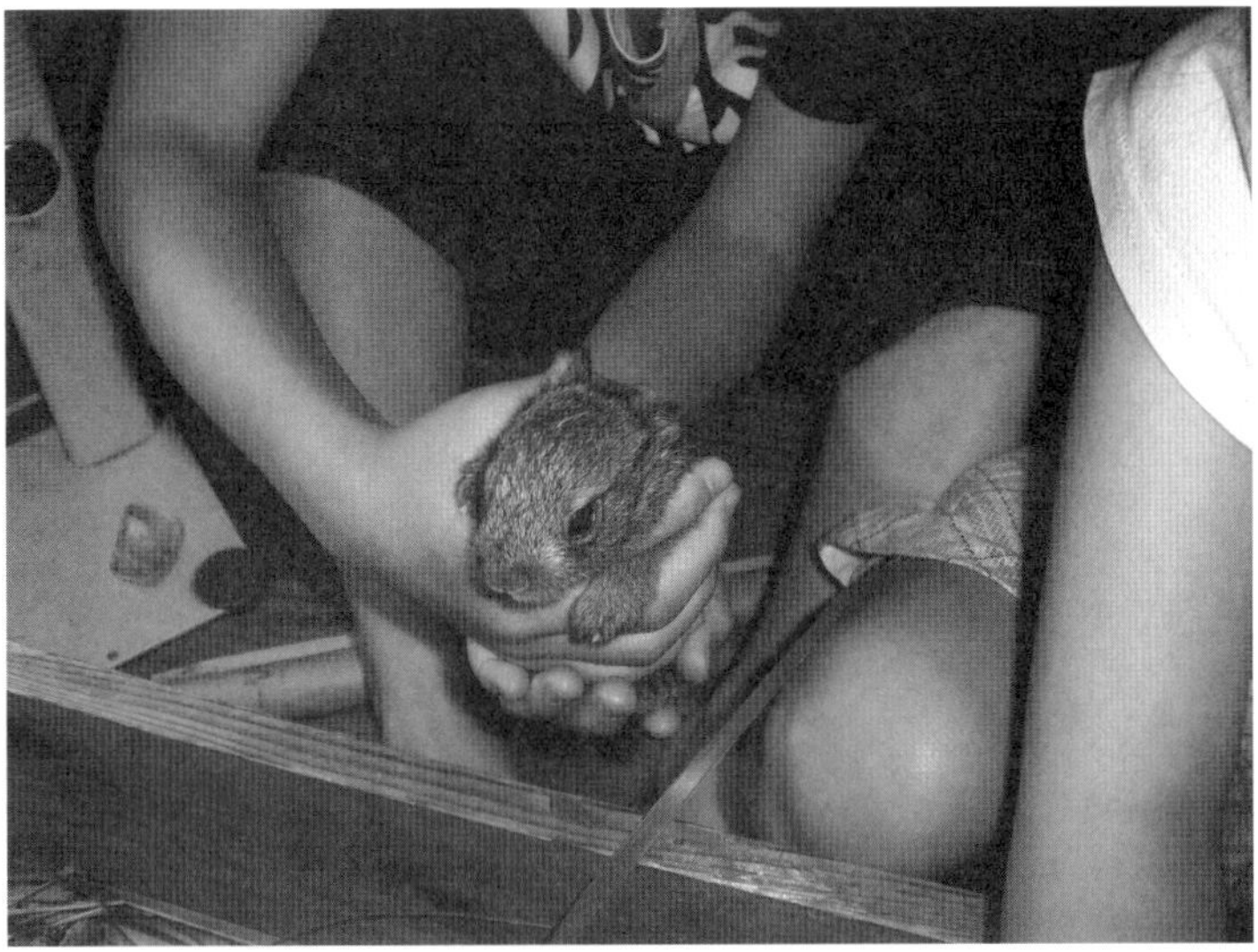

畑で母親とはぐれてしまった野ウサギの赤ちゃん

んで食べますが、わたしはやはり、自分の心のどこかに複雑な気持ちが潜んでいるのを感じてしまいます。

自分たちの住む場所の、すぐ近くの山で仕留められた野生の生きものの生肉を、自分で料理して食べたことがあるでしょうか。それは、本当に、現代の普通の食事とは違います。

イノシシは、山で、生きていたのです。そして人間に狩られ、死んで肉となったのです。

その肉を食する時、心の中にあった感情は、ひとことでいうなら「畏《おそ》れ」でした。平たくいうのなら、「どうぞ恨みを忘れ、成仏してください」と死んだイノシシの魂に祈るような気持ちです。

よく、テレビのグルメ番組などで食材について、養殖ものの味はこうで、天然ものの味はこう、などと比較するのを耳にしますが、食用とするために人間が育てた生きものの肉と、野生の生きものの肉とをくらべるとするなら、両者の一番の違いは、味がどうこうという前に、その生命のもつ気迫のようなものではないかという気がわたしにはします。野生の生きもののもつ生命のエネルギーには、いつも死と隣り合わせながらも、これまで自力で生き延びてきたという凄みのようなものがこめられている気がするのです。

そしてそれを食する時、食事によって他者の命が自分に受け継がれていくということについて考えずにはいられません。今日の自分の命があるのは、わたしのために犠牲になってくれた動植物がいるから。明日の命があるのも、今日の食事によって他者の命をわたしが引き継いだから。

野生のイノシシの肉を夕飯にした日、わたしは子どもたちに語りかけました。手を合わせて心から「いただきます」と「ごちそうさま」をしようね、イノシシに感謝して、あなたの命の分も一生懸命に生きますって約束しよう、と。子どもたちは真剣な顔で小さな手を合わせます。

わたしたちは山のイノシシを食べる。その肉がわたしたちの中でまた血となり肉となり、わたしたちの命となる。だから、死んだイノシシの命の分まで、一生懸命に生きなくてはならない。心からそんな気がして、そしてその事実のもつ重みがなんだか少しこわくなって、料理をする時も食事を始める時も、思わず手を合わせずにいられなくなるのです。

食事の前後に手を合わせること。日本人なら誰もが無意識にすることとですが、そこにこめられた本来の意味は、食べものとなった動植物の命への謝罪と感謝、そして鎮魂の思いなのではないかと思います。他者の命を得て、明日を生きる。そこには、命に対する敬意や畏れがあります。そんな思いのこもった「いただきます」の意味は、「食物となった動植物の命をいただきます」ということなのでしょう。

命は決して自分だけのものでなく、ほかの生きものの命を奪って成り立っているもの。自分の命は自分だけのものでなく、これまでに自分のために犠牲になった生きもののうえにあるのだということ。ひいてはそれが、自分の命の重み、他者の命の重み、という思いにつながっていくのだと思います。

現代の社会で、食べものに畏れの気持ちを抱く、ということが果たしてあるでしょうか。自分の命は自分のもので、生きていることは誰のおかげでもない。食べるものは、いつだってスーパーやコンビニに行けば手に入る。そしてそこで手に入るものは、誰がどんな原料を使い、どこでつくったのか、出どころのわからない食べものばかり……。そんな生活の中で今、わたしたちの食事にはいったいどんな意味がこめられているのでしょうか。

時おりやってきてはわたしを圧倒する、まな板の上にどっしりと乗った赤黒い肉の塊は、この山で、わたしに食べるということの罪、それでも生きるということの意味をいつも生々しく突きつけてくるのです。

便利はしあわせ？

こんな自分の暮らしを見つめる中で、便利であることは果たして人間にとって必要不可欠なしあわせなのだろうかという疑問が、少しずつわいてくるようになってきました。

便利なのはいい。便利になることでわたしたちに与えられた幸福は数えきれない。わたしもそう思います。でも、便利な生活によってわたしたちが失ったものも、きっとはかり知れないのでしょう。人間は楽なことにはすぐ慣れてしまいます。

旬の野菜を食べなくても、なんということもなく過ぎていく現代の暮らし。

たとえば、かごいっぱいの採れたてのソラマメを夕飯までにむくのは、忙しく過ぎる便利な生活の中では省くべき単なるひと手間かもしれないけれど、初夏の夕暮れ前、子どもと一緒に縁側に座り、「ソラマメはずいぶん立派なお布団にくるまってるねえ」「見て見て、これはこんなに大きいよ！」「これには三つも入ってた！」「こっちは一人っ子だねえ……」と、他愛もないおしゃべりをしながら、みずみずしくやわらかな豆の皮をむく、そんな時間の中にこそ、じつは、人が生きるということの意味がこめられているようにさえ思えるのです。

わたしだって便利なところにいたら、お惣菜を買って、手軽に食事を済ませているかもしれません。簡単に外食に行くかもしれません。

でも、そんな便利な暮らしから遠ざかることで、しあわせと便利は本質的に違うことだということが、わかるようになったのです。人はとかく、しあわせと利便性を混同しがちです。なんといっても山に来た頃、自分がそう思っていたのです。わたしの暮らしは便利じゃない。だから、わたしはふしあわせなのかもしれない、と。

しかし、とまどいながらも少しずつ、この暮らしを自分なりに乗り越えてきた今なら、迷いなくはっきりとこう思うことができます。

わたしの暮らしは不便だけれど、わたしは今、愛する家族とおいしい食事とともに、ここでしあわせに生きている、と。便利であるということと、しあわせであるということは、イコールの関係ではない。わたしはこの暮らしの中でそう気づいたのです。

第4章 仲間

故郷

わたしたちが山での生活を始めてからも、変わらずわたしたちを応援し、支えてくれたのは、十数人の南米時代の旅の仲間たちでした。

彼らのほとんどは、旅の間にクスコで出会った友達です。それぞれに一人旅をしていたバックパッカー同士が一〇年以上もの長い間、何かというとすぐに集まり、呑んで食べて雑魚寝して、家族のように気の置けない付き合いを続けてきたのは、やはりクスコの日本人宿という、一種特殊な環境で寝食をともにし、同じ屋根の下で何カ月も一緒に過ごした仲間だからなのだと思います。

子どもの頃から引っ越しが多く、明確な故郷といえる場所がないわたしにとって、クスコは切ないくらいになつかしく、まるで幼い頃を過ごした故郷のように思える場所です。大人になって

出会ったというのに、当時一緒に過ごした仲間たちは、まるで家族か幼なじみのようで、なんだか、子どもの頃からずっと知っている人々であるような気さえします。それはわたしたちが、うわべの飾りを脱ぎ捨てて、子どものようにバカバカしいことばかりして、遊びながらともにクスコでの日々を過ごしたからかもしれません。

みんなでふざけながら道を歩いていて、開いていたマンホールの穴（ふたを溶かして鉄材とするために何者かにもち去られることがあるのです）に落ちたわたしが危ういところでひっかかり、道端にいた人みんなで大笑いになったり、案内したツアーのお客さんが帰国後、日本から送ってきてくれた、なんだかちょっとおかしな古着を借りて、仮装してみんなで街に出たり、一番格好悪い踊りを踊れるのは誰かを競い合ったり、夜ふけに宿の飼い犬のサスケを連れ、満月の光に照らされた野原を歩いて街外れの遺跡へピクニックに行ったり、ほかの仲間がツアーのお客さんを案内している間に民族衣装を着こんでこっそり遺跡へ先まわりして、ケーナやサンポーニャといった民族楽器で勝手に演奏を始めて、喜んだお客さんからチップをもらって帰ったり……。

当時の花田は大家族で暮らす一つの家のようで、わたしたちは兄弟のように、断水ですぐ水の出なくなるシャワーを順番に使い、みんなで一緒にごはんを食べ、皿を洗い、遊び、笑い、本を読んだり、出かけたりして、何カ月も思い思いの時間を過ごしました。

それは、それぞれの人生から抜け出してみんなで一緒に過ごした、長い長い、お休みのような日々でした。

きっと長い旅に出た人たちは、それぞれに何かの思いを抱いて、日本を出てきたのだと思います。でもその時、わたしたちの中にあったのは、一緒にいたら楽しいという、純粋な気持ちだけでした。いやなことを我慢してまで、同じ宿に滞在を続ける理由は何もありません。いやになったら宿を出て、また旅を続ければいいのです。一生続くような時間でないことは、みんなわかっていました。だからこそ、一瞬で散ってしまう花火のような、輝くような日々でした。

みんな自分の人生から少しずつはぐれた者同士で、あちこちさまよいながら、やっと同じような仲間に出会えたような気がしていたのかもしれません。それとも、それがみんなにとって、エネルギーにあふれた若くはじけるような時期、いわゆる、青春というような時代だっただけなのかもしれません。このクスコで過ごした日々は、それ以来ずっとわたしの中にあって、いつでもわたしを支え、励ましてくれました。わたしには居場所がある。それがどれほど勇気を与えてくれたかわかりません。

そのままペルーを生活の基盤に選んだ者もいますし、その後帰国した者も、数年の間はそれぞれがまた旅へ出たり、帰ってきたりをしばらく続けていました。日本にいる間は、今度は場所をクスコから東京に移して、変わらずみんなで交流を続けました。仲間うちの何人かが住み始めた高円寺のアパートで、みんなでものづくりと音楽のまじり合ったお祭りを開催したこともありました。旅の仲間が集まると、それがたとえ日本であれどこであれ、旅した頃の自由な時間と感覚がよみがえるのでした。

雨のやんだ日

わたしたちが八郷への移住と新規就農を決めた時も、そんな旅の仲間たちが相変わらずことあるごとに山を訪れ、時に仕事を手伝ってもくれ、時にお酒を酌み交わしもしました。

とくにみんなが毎年気にかけて、顔をそろえてくれるのは、春の田植えと秋の稲刈りの時期です。いつも一人で農作業をこなすコージさんも、この年二回の大きな仕事はみんなの協力を得て、大勢で作業を進めます。一年目から見よう見真似で手伝ってくれてきた仲間は、毎年の作業に今やすっかり慣れたものです。気の合う者同士、わいわいと声をかけ合いながら進める戸外での作業は活気のあるもので、本来、農業のあるべき姿とは、こういう風景なのではないかと感じさせられます。

体を動かしたあとは、食もすすむもので、毎回どれだけ料理を用意し、いかにみんなに喜んでもらえるものをつくれるかが台所担当のわたしの課題です。それぞれの休日を使って労働奉仕に来てくれるのですから、できるだけおいしいものを食べて帰ってもらいたいというのが、わたし

稲刈りに来てくれたチチカカ湖一周の首謀者。葦船での太平洋横断計画「カムナ葦船プロジェクト」（http://kamuna.net）の代表をつとめる

のせめてもの願いです。

そんな仲間たちの助けを得て、進んでいく毎年の田植えと稲刈りですが、やはり、みなそれぞれに忙しい体なので、なかなかこちらの予定とみんなの都合が合わない年があります。毎年、誰かがなんとか都合をつけて駆けつけてくれるのですが、五年目にあたる二〇〇五年の稲刈りの時は、今年はもうダメかと思うような状況でした。

秋の長雨の影響などで作業が遅れ、集落や低地の田んぼがみな稲刈りと脱穀を済ませる中、まだ刈られないままの稲が残っているのは、コージさんの田んぼくらいになっていました。

稲刈り後の脱穀をお願いしていたライスセンターという作業所も、ご好意で待って

農作業の合間にみんなでごはん

いただくのももう限界で、明日を逃すと作業所の掃除とメンテナンスが始まってしまい、脱穀する場所のあてがなくなるという状況でした（脱穀とはご存知のように、刈り取った稲束から籾《もみ》をはずす作業のことです）。

残された最後の稲刈り予定日である翌日の天気予報は朝から雨。

その夜も秋の雨がそぼ降る中、コージさんは苦渋の選択を迫られていました。雨で作業できない可能性を覚悟で、みんなに来てもらうか。そもそもこんなに急な連絡じゃみんな来られるかすらわからない。このまま連絡は見送るか。でも、このままだと、せっかくここまで育てた稲がダメになってしまうかもしれない。もうあとがありませんでした。その夜、コージさんは南米仲間に連絡を取りました。

翌朝、仲間たちはやってきました。

そして、降り続いた雨がやみました。

雨が降らないうちにやっちまおうぜとみんなが力を合わせて作業を進めます。そして、美しい秋の夕暮れ時、すべての稲は刈り取られ、ライスセンターに運ばれたのです。

それまでももっとも頻繁に山を訪れてくれ、その日は自分の仕事をキャンセルしてやってきた、コージさんとともにかつて葦舟で旅したチチカカ湖一周の旅の首謀者が、翌日の早朝からの仕事のために夜を待たずに帰っていきます。

わたしが彼を駅まで車で送っていくことになりました。別れ際、彼とコージさんは抱き合い、固い握手を交わしました。彼らのしっかりと握り合った手と手には、言葉にする必要のない確かなものが流れているようにわたしには思えました。

彼を乗せて駅へ向かう車のフロントガラスに、雨の粒がポツポツと当たり始めました。次第に本降りになる雨のしずくが窓ガラスを伝う中、「特別な日だったな」。助手席で彼がつぶやきました。

彼らがいなければ、たとえどんなにお金を積んだとしても、あの日に稲刈りを終わらせることはできなかったでしょう。わたしたちには、大金も地位も名誉もありません。でも、こんな時、それらがなんの役に立つでしょうか。わたしたちにあるのは、友情という財産だけです。そしてそのかけがえのない財産が、一番のピンチの時にわたしたちを救ってくれたのです。

新規就農者たち

こんな旅の仲間の力とは別に、移住したばかりのわたしたちの支えとなったのは、八郷《やさと》で出会った何組もの新規就農者たちの存在でした。

今は市町村合併により石岡市の一部となっていますが、「八郷」という地名は、農業を志す人々の間では有機農業の盛んな場所として有名になりつつあります。実際、有機農業をめざして八郷へ新規就農する人はこの数年、あとを絶ちません。農協が運営する農業研修制度などもあり、さまざまな人が都会から移り住んで農業を始めています。

もちろん、農業を始めるにあたって、都会暮らしと違う生活に飛びこむ覚悟は必要とはいえ、わたしたちのような無茶をする必要はまったくなく、私的、公的な研修制度を利用しながら、少しずつ基盤をつくっていくのが一般的です。

それでも、わたしたちが知り合った何組かの新規就農者は、独自のやり方で農業を始めていて、同時期にわたしたちのほかにも、土地を探してセルフビルドで家を建てている家族もいましたし、本格的な家づくりを始める前に、まずはプレハブに住みながら腰を据えてゆっくりと住環境を整えている、という就農者もいました。

東京から移住した先輩就農者の中には、払い下げの貨車を二台つなげて、そこで二人の子どもと十数年生活してきたというご夫婦もいらっしゃったので、そんな就農当初の話を聞かせていただくのも、わたしたちの無鉄砲な開拓時代には、ずいぶん励みに感じました（ちなみに、そのご夫婦は今では、農作業の合間をぬって大工さんとの共同作業で建てたという広い二階建ての素敵なお宅にお住まいです）。

そんな先輩農家が同じ土地で長く有機農業を続けているということは、わたしたちのような新規就農者にとって、初めは大変でも地道に頑張っていけば、いつかはきっとなんとかなるに違いない、と感じさせてもらえる希望の光のようなものでした。

八郷に新規就農した若い世代の人たちの中には、なぜか海外ボランティアや青年海外協力隊のような非営利団体の組織の一員として、海外生活を経験してきた人が多く、そんな点でも、南米に縁のあったわたしたちと共通の感覚があったのかもしれません。

そして何より共通していたのは、それぞれの家庭に幼い子どもがいるということでした。移住した当初、初めて声をかけてもらったお花見以来、新規就農者同士で集まる花火大会や遠足やクリスマス会は、毎年の恒例行事となりつつありますが、その間にも各家庭の妊娠、出産は続き、子どもの数はどんどん増え、今では何家族もの集まりとなると、まるでどこかの保育園のような状態になってきました。

現代の孤立しがちな子育てが人の輪でつながり、わたしたちのまわりでは、おむつや育児用品、おさがりの服などがぐるぐるとまわっています。「これはもともと誰のものだったっけ？」などと言いつつ、一定の時期しか必要のないようなもの、ベビーバスや新生児用のチャイルドシート、布おむつやおむつカバーなどはどんどん必要なところへまわっていくので、ほとんど買いそろえる必要がないくらいです。

人々が集まる時には、たいてい一品もちよりの食事会になります。もちろん、テーブルにのるお皿には旬の野菜ばかり。それでも、各家庭でそれぞれ工夫して料理されているので、いつもと違う食べ方はお互いにとても参考になります。そんな席で、男性陣は日頃の農作業での疑問や情報を交換し、女性陣は子育てのことや家事のこと、女同士の話で盛り上がります。

こんな中で子育てしているうちに、子どもにはいろんな個性があって、いろんな成長過程があって、それでいいんだと心から感じることができました。体格の大きい子もいれば、小さい子もいる。おっぱいをいつまでも飲んでいる子もいれば、自分から卒業するような子もいる。親のそばから離れない子もいれば、どんどん一人で進んでいく子もいる。

年齢が少し上の子の成長の様子を教えてもらい、自分の子どもより小さい子の様子を眺めてはなつかしく思い、こんなふうに子どもは大きくなっていくんだと、自分の子育ても客観的に見ることができるのでした。

わたしたちの暮らしは物質的には豊かでなく、都会のような便利な暮らしではありませんが、家族がいつもともにいて、同じ風景の中で一緒の時間を重ねていく、そんな自分が自分の人生の中心でありえる暮らしなのだと思います。

それぞれの道

有機農業での生活をめざし、八郷へと移住してきた新規就農農家のそれまでの経歴は、各家庭によってさまざまです。もともと農業大学や酪農大学出身という本格派もいれば、前述のように、海外での国際的な援助活動に従事していたという人も多い一方で、いわゆる脱サラ、都会でのサラリーマン生活から転身をはかって八郷へやってきたという人ももちろんいます。

八郷での就農の第一歩としてもっとも確実なのは、農協（ＪＡ）の主催する有機農業研修制度への応募です。現在八郷で就農している有機農家の中にも、この研修制度出身の農家が何軒もあります。

この研修制度がつくられた背景には、これからの日本の農業をよりよい方向へ導いていきたいという地元ＪＡ職員の真摯な思いがあり、その制度を立ち上げたＪＡやさと職員は仕事で都会と八郷とを行き来する間に、農村部の若者が次々と離農するのと相反するように、都会に住む若者の就農希望者が増えているという矛盾を強く感じるようになったといいます。

これまでの農業というのは、個人の自由意思による選択というより、「家」を単位として営まれるいわゆる世襲制の仕事であり、その家の跡取りが、代々土地や家屋、農機具などを受け継いでいくというのが一般的な農家のあり方でした。そして、農地は国のさまざまな政策で保護されており、その厚い保護規制が新規参入者の耕作地取得などの際に高い障壁となることが少なくありません。

そのような現状において、まずは現地に住み、有機農業を実地で学ぶことのできる研修制度は新規就農をめざす若者にとって、大変心強いシステムです。研修期間は二年間。応募資格は県内外を問わず、本気で有機農業に取り組む意思のある家族（または夫婦）で、農業経験は不問。年齢こそ県の担い手育成基金からの助成を受ける関係から三九歳までという制限があるものの、やる気あるパートナーと一緒ならば、誰でも応募することができます。実際この研修制度には、就農を希望する全国各地の若者から応募があり、九九年に第一期生が誕生して以来、有機農家が毎年一組ずつ着実に独立を果たしています。

そのほか、非農家出身者の有機農業での就農にあたっては、個人規模での有機農家での研修、各種セミナーへの参加などいろいろな方法がありますし、忙しい時期には人手を確保するために、積極的に研修生をおく農家もあるようなので、ここぞと思う農家に直接連絡をとってみて実地で勉強させてもらうのも、一つの方法のようです。

独り身の女性でも、志ある人はどんどん就農に挑戦しています。そして、農家の研修生となったり、農業とアルバイトをかけもちしながらもなんとか一人で頑張るうちに、やはり志あるパートナーと知り合って、夫婦そろって新しく農業でのスタートを切る、といった例も八郷では数多く見られます。

このようなさまざまなアプローチの仕方がある中、わが家の場合のような独力でのいきなりの就農は、やはりかなり異例の荒っぽい就農方法といえますが、やる気さえあれば、もちろん不可能なことではありません。

各家庭がそれぞれに違ったかたちで出発したとはいえ、やはりお互いに就農初期の大変な時期を経験した、同じような志をもつ者同士なので、八郷の有機農家の人々は、目に見えないゆるやかな輪でつながっており、時にしのぎを削り合いながらも、お互いを敬い、認め合いながら、どこか励まし合うような関係であるようにわたしには思えます。

それというのも八郷の新規就農農家の出荷先は、それぞれの個別の宅配便を利用してくれる、都会のお客さんであることが多いので、競うように同じ出荷先へ野菜を納めるということがほとんどなく、農家同士の直接的な利害関係から生じる卸先の奪い合いなどといった対立が起きることが少ないのです。

加えてほとんどの新規就農者は、耕作地を所有し、代々続いてきたような由緒正しい農家の出身者ではないために、土地をめぐる確執が生じないということも、八郷の農家同士がよい関係を保っていける一つの要因かもしれません。

「有機農家が競合して大変ではありませんか？」と他県に住む若い有機農家の方から聞かれることもありますが、新規就農農家が多いために生じた不都合な点というのはいまだ聞いたことはなく、農機具の貸し借りをしたり、種の共同購入や作物の栽培についての情報交換をしたり、何軒かの農家で集まって地元のお祭りに共同出店したりするといったような、農家の数が多いことでのプラスの面のほうがはるかに勝っているようです。

有機農家が収入を得る方法としては主に、提携した顧客への野菜の宅配、農協や生協への出荷、地元の直売所への出荷などがあげられます。個別宅配便の顧客は、就農・独立直後の各農家の知り合いなどを中心に構成され、その初期のお客さんの口コミで多くの人に広まったというケースがほとんどではないかと思います。

地元の直売所などにつくった野菜を置いてもらって収入を得るということも一つの方法ですが、農村部では旬の野菜の値段はとくに、むくわれないほど安くなってしまうことも多く、そこから得られる収入だけで生活することは厳しいのが現状です。

飯田農園はもちろんのこと、やはり八郷の、そしておそらく今の日本の若い有機農家を支えているのは、個別の宅配や農協・生協での購入を通じて、土づくりからこだわり、手間暇かけて育てた安心・安全な食品の価値を理解し、それに見合う値段で作物を購入してくださる消費者の方々にほかなりません。

八郷では、養豚などの分野でも新たな試みをしているところがあり、安い価格のかわりに残留農薬や遺伝子組み換え作物などの混入のおそれのある外国産飼料を餌にすることをやめて、地元で手に入る飼料を利用した、地域自給型の養豚を行っている農園もあります。

豚たちの餌となるのは、地元で収穫された小麦の虫食い粒や生育不良粒などの小麦くずや、酒造会社で日本酒を製造する際に出る米ぬか、国産大豆だけを使っている豆腐屋さんのおから、茨城名産の乾燥いものくずなど、そのままでは無駄になってしまう材料を地元の各所から手に入れたもので、その農園では、そんな餌を食べて育った見るからに健康そうな豚たちが、広い豚舎の中を元気に自由に動きまわっている姿を見ることができます。

そして何よりも、その農園で買う豚肉の味は格別です。身がしっかりとしまり、肉に甘味があって、しつこいだけになりがちな脂肪の部分にさえも、なんともいえないうまみがあるのです。

生命として健やかに育ったということと、それを食した時の味のおいしさは、じつは表裏一体、同じ根本に根ざしたことであるということ、そして、その生産物を心をこめて育てあげた労力に値する代金を敬意をもって生産者にお支払いするということの意味を、わたしはこの八郷での暮らしの中で徐々に理解していきました。

確かに、スーパーの特売で買う外国産の食材にくらべたら、それらの値段は高価になることでしょう。しかし、出荷した農家がその値段で大儲けできるかといったら、残念ながらまったくそんなことはないのです。

農家の収入は、各家庭の生活費であると同時に、日々の仕事を続けていくための運転資金でもあります。作物を売って得た代金の中から、次の作付けのための種を買い、農機具を購入し、修理し、畑や田んぼの地代や出荷のためのダンボールの代金を支払っていかなくてはなりません。こだわりをもち納得のいく生産物を出荷しようと思えば、目に見えない段階での作業が山のように積み重なっています。やはり農業を収入源として生きていくことは決して楽な道ではありません。

しかも、家族単位でもなかなか手のまわらない仕事だというのに、わたしとコージさんの関係は夫婦分業で、夫が農業、妻が作陶という、ある種これまでの伝統的な農家にはあるまじき形態。わたしは移住当初、そのことをとても負い目に感じていました。しかし、これからの農業ではむしろ、それぞれの個性が活きる方向性を大事にしながら発展していくということも、かえって各農家の独自の特徴をつくっていく要素となるのかもしれないと今は思います。

　わたしたちのまわりの若い新規就農農家の間でも、完全な夫婦分業で、夫が農業を営む一方、妻が外で仕事をもち、安定した「外貨」を稼いでくるという農家、農作物の栽培のほかに妻の就農以前に培った技能を活かしてパンづくりや予約制のレストランを開店することを模索する農家、昔ながらにヤギを飼ってそのお乳でチーズをつくったり、栽培した野菜でジャムなどの加工品をつくってお客様に提供する農家、都会でのオーガニックマーケットに積極的に参加し、消費者の方々と交流をもつ農家など、いわば、多様性ある二本目の柱というようなものをもった、さまざまな個性を備えた農家が登場しつつあります。

　その未知数の何かが現実となるためには、当然大変な苦労があるかもしれませんが、こんな意識が、つらく厳しいという農業のイメージを一新し、新しく創造的な、希望にあふれた農業の姿を実現していくのかもしれないと、わたしには感じられています。

大地とともに生きる人たち

　八郷に新規就農した彼らのほとんどは、都会での暮らしを経て、八郷へと移住してきた人たちです。彼ら、そして彼女たちはどうして便利な都会での生活を捨てて、この不便な土地へ移り住

野菜と器でイベント出店。屋号は「パチャママ屋」

み、かつての若者が捨てていった農との暮らしを選んだのでしょう。

その答えは、それぞれの胸の中にあるのだと思います。それはどんな打ち解けた集まりの中でも、誰からもあらためて語られることはありませんが、そんな思いを理解するのは誰よりも、八郷に移り住んできた面々なのだと思います。

彼らは日々、畑に出ていきます。土を耕し、種を蒔《ま》きます。

種を蒔き、そこから芽が出る。芽を出した作物が、育っていく。

それは自ら選んで農を営む人々にとって、自分がそこに生きていることの証であるのかもしれない、とわたしは思います。母なる自然と向き合って、ほかの生命とともに、今ここに自分が生きているということを、生まれたばかりの小さな芽が、彼らに静かに伝えているのかもしれないと、わたしには思えるのです。

大地を耕し、種を蒔き、水をやり、虫を取り、そうして育った作物を収穫し、そしてそれを食すこと。その中に、土とともに生きる彼らの命は確かに脈打っているのです。だからこそ、彼らは明日もまた、畑へと出ていくのでしょう。なぜならそれが、彼らにとって、生きるということにほかならないのだから……。

雨の日も風の日も、暑い日も寒い日も、毎日畑へ出る暮らし。それは確かに大変な暮らしです。しかし、農に生きる人々は、大地の上で日々、さまざまなことを知るのでしょう。

太陽の光、風のにおい、湿った土の感触、新しい季節の気配を。

昨日よりキュウリのつるが少し伸びたこと、新芽が一枚増えたこと、また一つトマトが赤く熟れたこと、その味が昨日より甘く濃くなったこと。

水晶のように光る朝露がぽろりと落ちて流れたことを、昨日よりまた少し日が延びたことを、今日が昨日と、明日が今日と違う新しい一日であることを……。

そんな日々の中に生きることこそが、彼らがこの八郷での暮らしを始めた理由なのかもしれません。そして、彼らの見つめる先に、これからの新しい日本の農業の姿があるのかもしれないと、わたしにはそう思えてなりません。

小さな仲間

わたしたち夫婦にとって、二人の子どもたちもまた、ともに人生を生きる新しい小さな仲間です。

就農と同時に産まれた長男が力丸《りきまる》。八郷に移住して三年目の夏に産まれたのが長女の美羽《みう》です。

「力丸というのは変わった名前ですね」とよく言われますが、これは、わたしたちが南米で長男をおなかに授かった時に二人で考えた名前です（もちろんその当時、おなかの子の性別などわかるはずがありませんでしたが、わたしにはなぜか男の子の名前しか思いつきませんでした）。

旅をしていると、外国の人に覚えてもらいやすい名前と、何度教えても覚えてもらえない名前があるのを感じます。せっかく外国で授かった子であるから、いつか海外へ出た時、ほかの国の人にもすぐに覚えてもらえるような名前がいいね、と話していました。

当時、中南米では、リッキー・マーティンというプエルトリコ出身の歌手がとても人気で、どこへ行っても彼の曲が流れているのを耳にしました。リッキーだったらどこでもすぐに覚えてもらえるだろうねという話から、「りき」という音を使うことにしたのですが、「力」だけでは響きが強すぎると、そのあとに「まる」というスペイン語でＭＡＲ（海）という意味のある音をつけました。

日本語では、力丸というのはずいぶんと古風な響きに聞こえることもあるようですが、当時外国で生活していたわたしたちにとっては、むしろ新しい響きでした。わたしたちにとって、力とは生命のエネルギーそのもの、丸とはその命の循環、人と人の輪や、ほかの生きものとの共生を意味しています。生きる力をもち、ほかの命とともに謙虚に生きる、そんな生き方をしていってほしいというわたしたちの願いをこめた名前です。

そして、美羽という名前は、わたしたちが結婚後にクスコで住んだ場所、シエテ・アンヘリートス（七人の天使たち）という通りの名にちなみ、天使から連想する名をつけました。心に美しい羽をもち、自由に人生をはばたいていってほしいと思っています。

そして二人の小さな子どもたちよりももっと小さい、山暮らしの仲間たちもいつのまにかたくさん増えました。長男が生まれた年にもらわれてきたのが、真っ黒な中型雑種犬のバモス。移住して二年目にやって来た子ヤギが、メスヤギのサクラ。家の横に建てた鶏舎でしばらくの間卵を産んでくれた二〇羽の雌鶏たちと一羽の雄鶏。敷地の奥につくった水場で、三羽そろってガアガアとにぎやかに騒ぐガチョウのガッちゃんズ。そして、一番遅れてやってきたのが猫のとうきちろう。

みんなそれぞれが思い思いに、山での日々を過ごしています。

子どもとともに生きる時間

山での暮らしが始まってからというもの、幼い長男の相手をし、そのうちに長女が誕生したので、わたしの焼きものづくりは、遠い未来の夢物語のようになっていました。それでも、コージさんがわたしに農業を強要しなかったのは、いつか子どもの手が離れてきたら、焼きものの仕事を始めたいというわたしの希望をきいてくれていたからでした。

自分のしたいことは何もできない時期が長く続いていて、自分をとても無力に感じてはいましたが、仕事ができないことへのあせりはありませんでした。子育ての中で、いつも自分がかけがえのない時間の中にいることを感じていたからです。

子どもは必ず大きくなる。そして子育ての時間は、たとえそれを苦しんだとしても楽しんだとしても、いつか必ず終わってしまう。そのかぎられた時間の中の、子どもが本当に母親を必要とする何年間かを子どものために費やすことは、わたしにとっては少しも惜しいことではありませんでした。

幼い時期の子育ては、建築でいうなら基礎工事にあたるものだと思っています。どんなに立派な家を建てようと思っても、基礎がしっかりしていなければ、丈夫な建物にはなりません。子育てもそれと同じで、心の基盤さえ愛情と信頼でしっかり支えてあげれば、あとは自分でいくらでも伸びていけると思うのです。

大きくなってからの数年と、産まれてからの数年では、時間の質が違うのだとわたしは思います。屋根は気に入らなければあとからいくらでも直すことができますが、基礎は建物の構造全体に影響し、いくら具合が悪くても、あとから直すのは難しいと思うのです。

たぶんわたしも、もともとは保母だった母に、そんな気持ちで育ててもらったのだと思います。突き放せば子どもは自立するのではないのだそうです。充分に甘えて他人に受け入れられて、自分に自信をもって初めて、人に頼らず、自分から歩き出すのだそうです。わたしも、それを待ちたいと思いました。そして、子どもがわたしを必要と思ううちは、最大限そばにいてあげたいと思いました。

そして、就農当初の一番苦しい時にも、コージさんはわたしに、子どもを保育園に預けて畑へ出てくれとは言いませんでした。生活のすべてを一人でしょって、わたしのやりたいように子育てをさせてくれたのです。

長男が三歳になった春に「保育園に行きたい?」と本人に尋ねました。すると彼は「まだ家にいるほうがいい。四歳になったら行く」と言うので、その年は入園を見送りました。結局、長男が保育園に行ったところで、下の子がまだ赤ちゃんだったので、わたし自身が何もできないことに変わりはなく、本人にまだ行く気がないなら無理に行かせなくてもいいと、わたしもそんな気

稲わらでつくった「干し草のベッド」で気分はハイジ！

持ちでした。

そして、四歳の春、長男は熟れた果実が自然に落ちるように、すんなりと保育園に通い始めました。入園初日、泣いてはいないか、明日はもう行かないと言い出さないかと案じながら、夕方初めてのお迎えに行きました。すると彼は、わたしを見ると、うれしそうににっこり笑ってこう言いました。「今日のおやつは、ビスケットと牛乳だったよー！」と。

窯探し

旅の仲間、八郷の新規就農者たちの存在に加えて、山でのわたしたちの新しい暮らしを応援してくれたのが、笠間の焼きもの修業時代の友人・知人たちでした。

南米での長期滞在や二人の子どもの妊娠・出産で、焼きものの仕事からは何年も遠ざかっていましたが、お弟子時代の付き合いの中でも、音楽を通じて知り合った友人や、縁あって知り合った旅好きな人たちとは、笠間を出てからも親しい付き合いを続けていました。音楽を通じてというのは、わたしが高校、大学とバンドでドラムを担当していたこともあり、まったく知人もなく飛びこんだお弟子修業時代に音楽を通じてたくさんの仲間ができ、すでに独立して焼きものを焼いている女性とお弟子修業中の女性をとりまぜて、女の子だけのバンドを結成し、お祭りのステージなどで演奏させてもらったりしていたといういきさつがあったのです。

陶芸で身を立てる人々というのもまた、一般の社会から見れば、どこかはみだし者のところがあるのかもしれません。彼らもまた、独特の暮らしを営みながらも、それぞれに自分自身の人生を生きているように思えます。

子育て中心だったわたしの生活の中にも、長男が保育園に行くことを考え出した頃から少しずつ、仕事の再開に向けた準備が始まりました。

まず、窯を手に入れなくては仕事になりません。でも、新品の窯といったら、大きさにもよりますが、だいたい一〇〇万円前後（大きなものではもちろんそれ以上）するのです。どこかにいい中古の窯はないかと、探し始めました。

わが家の環境はいわば特殊なので、使える窯にも制限があります。まず、家に通じる道の幅が狭いために、搬入するのに二トン車以上の大きなトラックは入ってこられないということ。しかしこれは、わたしの仕事のスタイルが子育てと農園の事務を並行するということから、小さな窯で少しずつ焼くのが理想と思えたので、小さい窯しか運びこめないというのは、とくに大きな問題ではありませんでした。

次に窯の燃料の問題です。陶芸の窯には、大きく分けて、薪を燃やして温度を上げる薪窯（いわゆる登り窯など）、灯油を使う灯油窯、プロパンや都市ガスを使うガス窯、実際の炎ではなく電気の熱で温度を上げる電気窯があります。

まず薪窯は、山のような薪の準備から徹夜で行う窯焚きまで、子連れ仕事になるわたしの力でやれるほど簡単なものではありません。

電気窯は小型のものも多く、火を使わないため置く場所を選ばないのでよいのですが、実際の火で焚かない点が気になるところでしたし、何より電気窯を設置するためには、使用する電気の容量を大きくしなければならず、毎月の電気代の基本料金が高くなるというデメリットがありました。

残るのはガスと灯油ですが、プロパンガスの集配車は、やはり二トンかそれ以上の車になるので、これも道の関係でこの環境には合いません。

そんなわけで、わたしの窯は小さな灯油窯にしようと思っていました。灯油なら、ポリタンクをもってガソリンスタンドへ自分で買いに行けばいいのです。そして結局、ランニングコストも灯油の窯が一番かからないというのも魅力でした。

神様のプレゼント

そして、そんな矢先、にわかには信じられないような話がわたしのもとへまわってきたのです。電話をくださったのは、わたしが笠間にいた頃、一緒にバンドを組んでいたメンバーのご主人でした。

ご主人によると、自分が教えている陶芸教室の教え子である年配の女性が、電動ろくろや窯といった陶芸用品を一式そろえたけれども、やはり使いこなすのは大変だったということで、ほとんど新品同然のその窯を引っ越しを機に手放すので、取りに来られる人がいるなら無料で譲るというお話でした。わたしが窯を探していると人づてに聞いて、まず声をかけてくれたのです。

もちろん「すぐにほしいです」とお返事し、急な話だったにも関わらず、コージさんとご主人、そして親しくお付き合いさせていただいている陶芸家夫婦の旦那様という男性三人が、車で一時間くらいかかる茨城県内の土浦市まで、一トントラックで引き取りにいってくれました。

小さいとはいえ、重量一〇〇キロほどもある窯を人力でトラックの荷台から下ろすだけでも、またかなりの苦労があったのですが、とにかくこうして、こんな信じられないようないきさつで、わたしは自分の窯を手に入れることができました。まるで突然宝くじにでも当たったような話でした。

その窯は、一度か二度使ったくらいのほとんど新品同様の状態で、オイルタンクや窯の内部に段を組むための棚板、温度計や煙突などの付属品もすべてそろっていて、買えば八〇～九〇万円はするというものでした。そして、わたしの希望を知っているかのように、それは小型の灯油窯だったのです。

この窯のいきさつを聞いた旅の仲間は、のちにわたしにこう言ってくれました。「かなちゃん、山で頑張ってきたから、きっと神様がプレゼントしてくれたんだよ」と。

わたしにとって、そんな言葉を信じたくなるほど、これはありがたく、うれしい、特別な出来事でした。

人と人とがつながる力

でも何よりも、わたしがこんな幸運を得ることができたのは、やはり、わたしたちを陰になり日なたになり支えてくれる人たちがいてくれるからこそだったのです。

困難ばかりで始まったこの山での暮らしに、もし、こんな周囲の仲間、友人・知人の支えがなかったとしたら、果たしてわたしたちは、とくにわたしは、ここまでやってこられたかどうか、わかりません。

旅の時代も含めて、こんな暮らしをしていると、人と人が、見えない糸、いわゆる「縁」というものでどこかでつながり合っているのだということを心から感じます（窯の引き取りなど、ことあるごとに力を貸していただいてきた、やはりセルフビルドのお宅に住む陶芸家ご夫婦とは、奥様がペルー旅行に行かれることをきっかけに知り合い、コージさんともどもすぐ意気投合して、焼きもののお仕事の手伝いをさせていただくようになったのですが、その後、わたしと奥様は数ある修業先の中でも、同じ小さな個人陶房で時をずらしてお弟子修業を積んだ、姉妹弟子関係であることが驚きとともに判明したのでした）。

こうして都会の混沌を離れ、シンプルな暮らしをする中で、いっそう、人と人がつながり合うことで生まれる力というようなものを感じるのです。助け合いの気持ちは、何かしら共通の困難な状況のもとで発生する感情であるような気がします。便利で何不自由なければ、助け合う必要などないのかもしれません。わたしたちが困難きわまりない状況にあったからこそ、周囲の人々が手を貸し応援してくれたのだと思います。

こんなまわりの人たちからの無償のエネルギーを受け取りながら、わたしたちは困難な開拓期を乗り越えてくることができました。今度はわたしたちから彼らに、この場所から、こうして受け取ってきた力を返していきたいと強く思います。そうしてまた、人と人とは深くつながり合っていくのかもしれません。

エピローグ──新しいはじまり

八郷へ移住して五年目の春、家の前のデッキスペースの横に寝室となる待望の二つ目の部屋が完成すると、わたしはさっそくワンルームだった母家から、いそいそとそちらの部屋に布団を移動させ、その布団の積んであった小さなスペースに仕事用の机を設置して、ささやかな自分の城を築き、徐々に仕事を始める準備に着手しました。

そして、長男が四歳の春から保育園に入ったことを機に、少しずつながら焼きものづくりを再開し、下の子の相手をしながらもその夏には初窯を焚き、八郷で毎年開かれる秋のお祭りに初めての出店をして、小さなスペースながら自分のつくった器を並べることができました。

そのお祭りへの出店が縁となって、茨城県つくば市の自然食レストランのお店にわたしの器を置いてもらえることになり、仕事場は部屋の片隅、ろくろをひくのはお風呂場の脱衣場というささやかな環境ながらも、それ以来少しずつ、継続的な制作が始まりました。

そして、移住六年目となる年明け。農園開拓期の象徴であったビニールハウスがコージさんの手によって撤去されました。中に積んであった材木が家の横に新設された納屋に運ばれてみると、ハウスのあった空間は予想していた以上に広く、急に視界が開けたように感じられました。

移住当初、一人ではどこへ行くこともできなかったわたしも、今では坂道発進はもちろん日常茶飯事で、夜の山道の運転にさえすっかり慣れました。野菜料理のレパートリーも増え、山で採れる山菜の扱いも少しは身につき、夏にはコージさんのトマトを鍋で煮つめて瓶づめにしておき、冬でもトマト味の料理が食べられるようにもなりました。

この山の中への移住が決まってから、気がつけば五年という月日が流れ、困難だった日々がいつのまにか、過ぎ去った「かつてのエピソード」としてわたしたちの中で語られるようになってきたと感じるようになりました。重い荷物をしょって、時に立ち止まり、息をつきながら、必死にきつい上り坂を上ってきたような日々でしたが、ここへきて、急にぽっかりと見晴らしのいいなだらかな場所へたどり着いたような感じがします。

わたしたちのやってきたことは、結局は自分たちで選んできた道、どんな思いをしても自業自得でしかありません。でも、ただ一つ、胸を張っていえることは、わたしたちが自分たちの道を歩いてきたということです。逃げ出したくなる時も、投げ出したくなることも、あったかもしれません。もちろんこれからもいろいろなことが待ち受けているのだと思います。でも、これまでのこんなすべてのやっかいごとに背を向けず、自分らしい道を歩いてきたおかげで、わたしたちは、今、自分たちのしあわせの中に生きているように思えるのです。

それに、始まった時以上に何かがなくなることは、まずないでしょう。この暮らしの始まりには、家もトイレも、電気も、仕事も、本当に何もなかったのですから。

相変わらず、給湯器も、食器洗浄機も、エアコンもないけれど、今は採れたてのおいしい野菜とお米、ささやかな収入、手づくりのおやつ、子どもたちの笑顔と夫婦の語らいがあります。雪の降ったあとの山道は、車を出すのも躊躇《ちゅうちょ》するほど不便だけれど、そんな日は子どもたちと大笑いしながらそりすべりをして遊びます。

いいことと悪いことは、いつも一緒にやってきて、自分がどの面を見るのかで、物事はまったく違ったものになってくるということを、わたしはこの暮らしの中で何度も感じました。というより、いい面を探して、乗り越えてくるしかなかったのだと思います。便利であるのに越したことはないけれど、便利であるということと、しあわせであるということは、じつは本質的にはあまり関係のないことなのだと今なら思えるのです。

はためからはどんなに平穏に見える暮らしの中でも、誰でもそれぞれが、それぞれの苦労を背負って生きているのだと思います。苦労は苦しいもの、平穏無事でいるほうがどんなにいいかわからない。けれど、そこから逃げず、その中でなんらかの発見をし、新たなものを吸収し続けていくかぎり、その経験は必ず何かをもたらして、その人を強くしたり、次の新しい場所へと運んだりするのだと思います。そしてそれが、自分らしい苦労だと思えるなら、その向こうに新しい道が見えるならば、きっと立ち向かう価値があるはずです。

苦しかったあの頃を振り返ると今がしあわせに思えてしようがない、とコージさんに言うと、コージさんは「勘弁してくれ。これからがまた、これまでの倍大変だぞ」と言うのですけれど。

そして、この坂を上ってこられたのなら、これから立ちはだかるだろう困難も、きっと乗り越えていけるだろうと今は思えるのです。本当のことをいえば、もうあんなきつい上り坂はないといい、と心から思っていますけれど。

いつか子どもたちも大きくなって、こんなところじゃなく、もっと〝普通〟の家に生まれたかった、と思う日が来るかもしれません。でも、誰しも自分の運命をしょって生まれて、たとえそれがどんなものでも、自分の生い立ちを幼い頃の経験として、自分の存在の根っこにもつしかないのだと思います。そして、その経験をどう活かすかは、その子自身の力でしかないのです。

わたしたちの二人の子どもは、なんでも満足して育つわけにはいかないかもしれません。わたしたちが満足いくまであげられるのは、かたちのない、惜しみない愛情だけです。もっとこうだったら、もっとああだったら、と思う気持ちをたくさんもって育っていくことでしょう。

でも、その何かを強く求める気持ちこそ、物があふれる現代社会の中で、わたしたちが子どもたちにあげられる一番の贈りものなのかもしれないと思うのです。何かを渇望する気持ちは、人生の目標となり、先へ進もうとする心を支えると思うのです。

ほしいと思う前になんでも与えられ、ありがたいものなど何もなく、すべてがあって当たり前の世界は、子どもにとってなんと生きやすく、つまらない世界であることだろうと思います。なんでもあって当たり前で、渇望も感謝もない世界には、本当のしあわせなど存在しないような気がするのです。

子どもたちに、何よりも「生きる力」をもってほしいと願っています。どんな状況でも、へこたれず、自分の道を進む強さを。そして、ほかの命とともに生きる謙虚さを。そしてどんな道でもいい、自分らしさを活かせる仕事を見つけて、よき伴侶を得て人生を歩んでいってくれたら、それ以上に望むことは何もありません。

仕事の手をふと休めて窓の外へ目をやると、降りしきる山桜の花吹雪の下に、何もない緑の山の中に、赤ん坊を抱いて途方にくれたようにたたずむ、あの頃の自分が見えるような気がします。わたしはその影に語りかけます。「頑張れ、あきらめず坂道を上れば、眺めのいい場所に、いつかきっとたどりつくから」と。

わたしは、コージさんと子どもたちに出会い、ともに歩けるこの日々に、今、本当に感謝しています。この物語の終わりは、わたしたちのこれからの新たな暮らしの始まりです。

またいつかこうして自分たちの道を振り返った時、わたしたちが、今よりさらに素敵な場所に立っていることを心から願ってやみません。

わたしたちを取り巻く家族と仲間にかぎりない感謝をこめて……。

II

飯田農園の農と暮らし

わたしたちの就農物語をお読みいただき、
ありがとうございました。
この移住・就農の記録を書いてから、時は流れ
おかげさまで飯田農園は二〇二〇年に
就農十周年を迎えることができました。
不便で質素な生活は相変わらずですが
小さかった子どもたちもすくすくと大きくなり
移住当時のことを思い返せば
この山暮らしにもずいぶんなれ、
だいぶこの環境を楽しめるようになった気がします。
そんなわたしたち飯田農園の日常や
農との生活にまつわるあれこれをご紹介します。

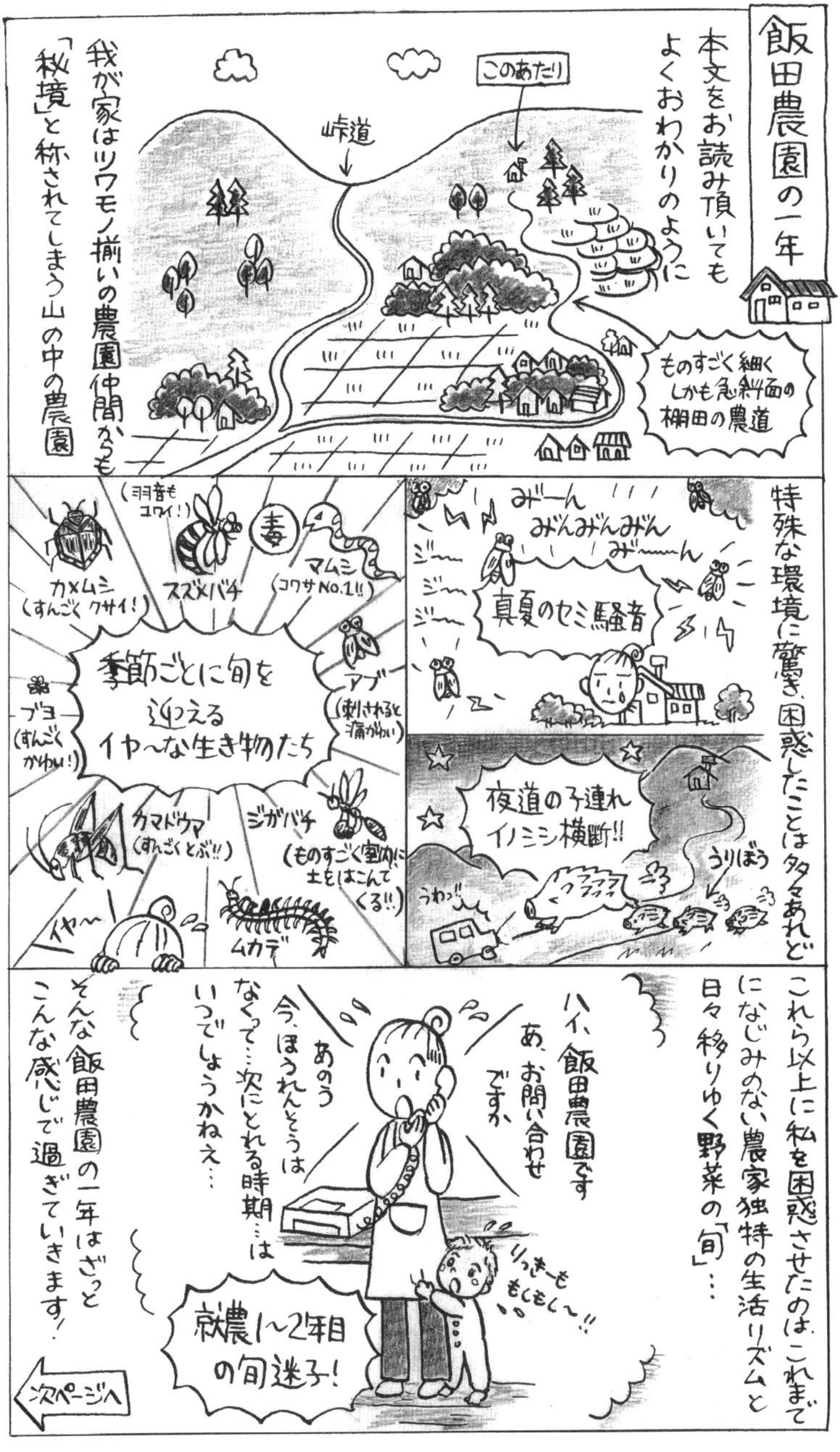

飯田農園の一年
本文をお読み頂いても
よくおわかりのように
このあたり
峠道
ものすごく細く
しかも急斜面の
棚田の農道
我が家はツワモノ揃いの農園仲間からも
「秘境」と称されてしまう山の中の農園
特殊な環境に驚き、困惑したことは多々あれど
みーん
みんみんみん
みーん
ジー
真夏のセミ騒音
夜道の子連れ
イノシシ横断!!
うりぼう
うわっ!!
季節ごとに旬を
迎える
イヤ～な生き物たち
カメムシ
(すんごくクサイ!)
(羽音も
コワイ!)
スズメバチ
毒
マムシ
(コワサNo.1!!)
アブ
(刺されると
痛がゆい)
ブヨ
(すんごく
かゆい!)
カマドウマ
(すんごくとぶ!!)
ジガバチ
(ものすごく室内に
土をはこんで
くる!!)
ムカデ
イヤ～
これら以上に私を困惑させたのはこれまで
になじみのない農家独特の生活リズムと
日々移りゆく野菜の「旬」…
ハイ、飯田農園です
あ、お問い合わせですか
あのう
今、ほうれんそうは
なくって…次にとれる時期…は
いつでしょうかねえ…
りっきーも
もくもく～!!
就農1～2年目
の旬迷子!
そんな飯田農園の一年はざっと
こんな感じで過ぎていきます!
次ページへ

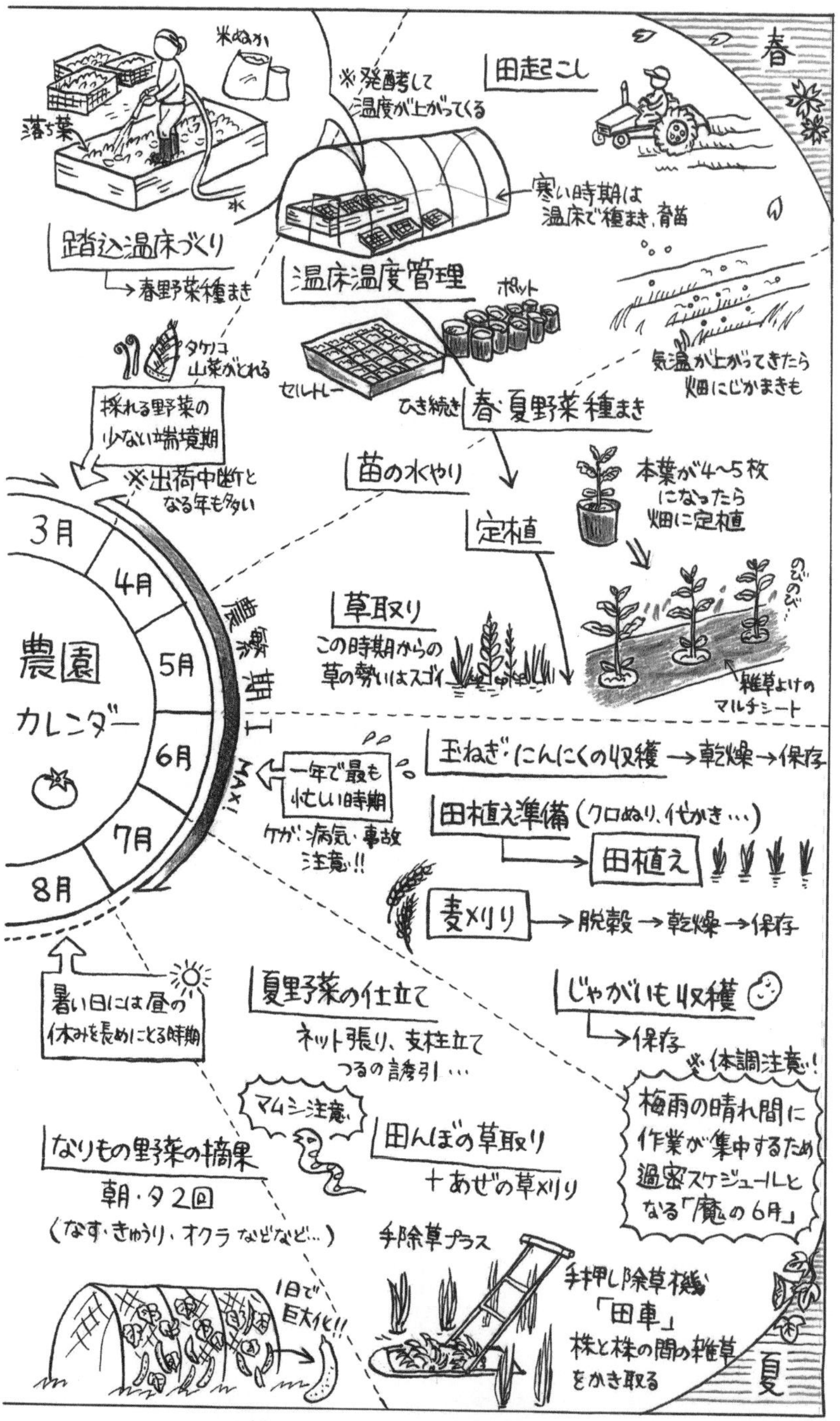
春
田起こし
米ぬか
※発酵して温度が上がってくる
落ち葉
水
寒い時期は温床で種まき、育苗
踏込温床づくり
→春野菜種まき
温床温度管理
ポット
セルトレー
タケノコ 山菜がとれる
採れる野菜の少ない端境期
※出荷中断となる年も多い
気温が上がってきたら畑にじかまきも
ひき続き 春・夏野菜種まき
苗の水やり
本葉が4〜5枚になったら畑に定植
定植
のびのび…
草取り
この時期からの草の勢いはスゴイ
雑草よけのマルチシート
農園カレンダー
3月
4月
5月
6月
7月
8月
農繁期ーMAX!
一年で最も忙しい時期
ケガ・病気・事故注意!!
玉ねぎ・にんにくの収穫→乾燥→保存
田植え準備（クロぬり、代かき…）
田植え
麦刈り→脱穀→乾燥→保存
じゃがいも収穫
→保存
※体調注意!
梅雨の晴れ間に作業が集中するため過密スケジュールとなる「魔の6月」
暑い日には昼の休みを長めにとる時期
夏野菜の仕立て
ネット張り、支柱立て つるの誘引…
マムシ注意
田んぼの草取り
＋あぜの草刈り
なりもの野菜の摘果
朝・夕2回
（なす・きゅうり、オクラ などなど…）
1日で巨大化!!
手除草プラス
手押し除草機「田車」
株と株の間の雑草をかき取る
夏

冬
これら、季節の農作業の他、
年間を通じた堆肥づくりや
週2回の野菜宅配便の出荷、
時期に応じて、生協などへの
出荷が日常業務!!
みそ作り
堆肥・温床作りのための
落ち葉あつめ
一年の間で最も
ゆっくりできる時期
〈農閑期のお楽しみ〉
読書や音楽も
農閑期ならではの
のお楽しみ!
農閑期
2月
1月
12月
11月
10月
9月
飯田
農作業
枯れたツルや葉っぱが
からみついている
夏・秋作後の畑の片付け
年末は
もちつきなど
のイベントも
土から出ている部分は
凍ってしまう
野菜の冬越し準備
芯を寒さから
守る
大根の土寄せ
白菜の結束
稲刈り
天日干し(おだがけ)
脱穀
貯蔵
夏野菜おわり
秋の端境期
刈った稲束を
おだ足にかけていく
(天日干し)
大豆の収穫
乾燥→脱穀
貯蔵
手押し
刈り取り機
バインダー
と、手刈り
秋・冬野菜種まき
手押し
種まき機
「みのる」
秋

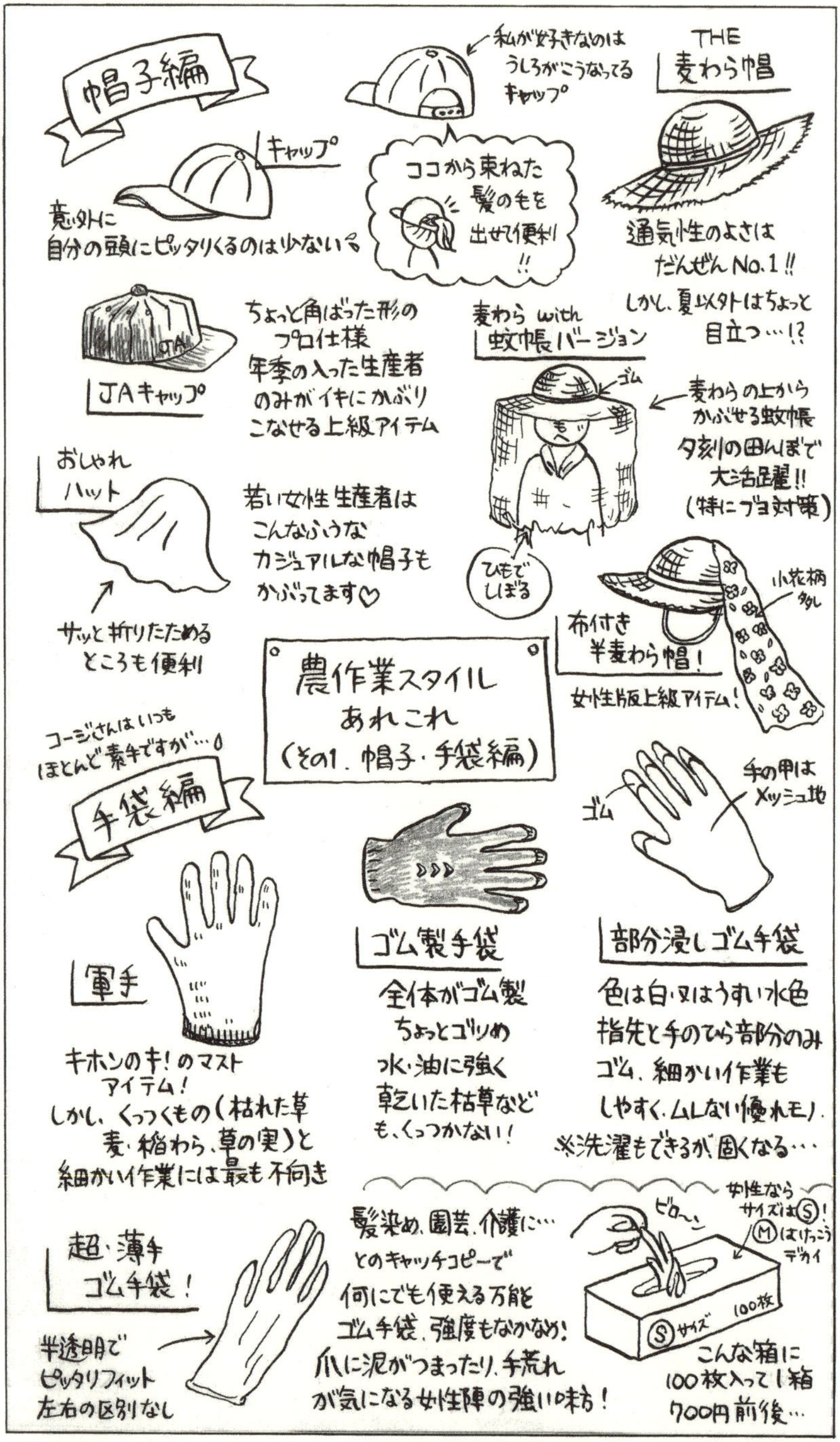
帽子編
キャップ
意外に自分の頭にピッタリくるのは少ない
私が好きなのはうしろがこうなってるキャップ
ココから束ねた髪の毛を出せて便利!!
THE 麦わら帽
通気性のよさはだんぜんNo.1!!
しかし、夏以外はちょっと目立つ…!?
JAキャップ
ちょっと角ばった形のプロ仕様 年季の入った生産者のみがイキにかぶりこなせる上級アイテム
麦わら with 蚊帳バージョン
ゴム
麦わらの上からかぶせる蚊帳 夕刻の田んぼで大活躍!! (特にブヨ対策)
ひもでしぼる
おしゃれハット
若い女性生産者はこんなふうなカジュアルな帽子もかぶってます♡
サッと折りたためるところも便利
布付き半麦わら帽!
小花柄多し
女性版上級アイテム!
農作業スタイルあれこれ (その1. 帽子・手袋編)
コージさんはいつもほとんど素手ですが…
手袋編
ゴム
手の甲はメッシュ地
軍手
キホンのキ!のマストアイテム! しかし、くっつくもの(枯れた草 麦・稲わら、草の実)と細かい作業には最も不向き
ゴム製手袋
全体がゴム製 ちょっとゴツめ 水・油に強く 乾いた枯草なども、くっつかない!
部分浸しゴム手袋
色は白・又はうすい水色 指先と手のひら部分のみゴム、細かい作業もしやすく、ムレない優れモノ。
※洗濯もできるが、固くなる…
超・薄手ゴム手袋!
半透明でピッタリフィット 左右の区別なし
髪染め、園芸、介護に…とのキャッチコピーで 何にでも使える万能ゴム手袋、強度もなかなか! 爪に泥がつまったり、手荒れが気になる女性陣の強い味方!
ビロ〜ン
女性ならサイズはⓈ! Ⓜはけっこうデカイ
Ⓢサイズ 100枚
こんな箱に100枚入って1箱700円前後…

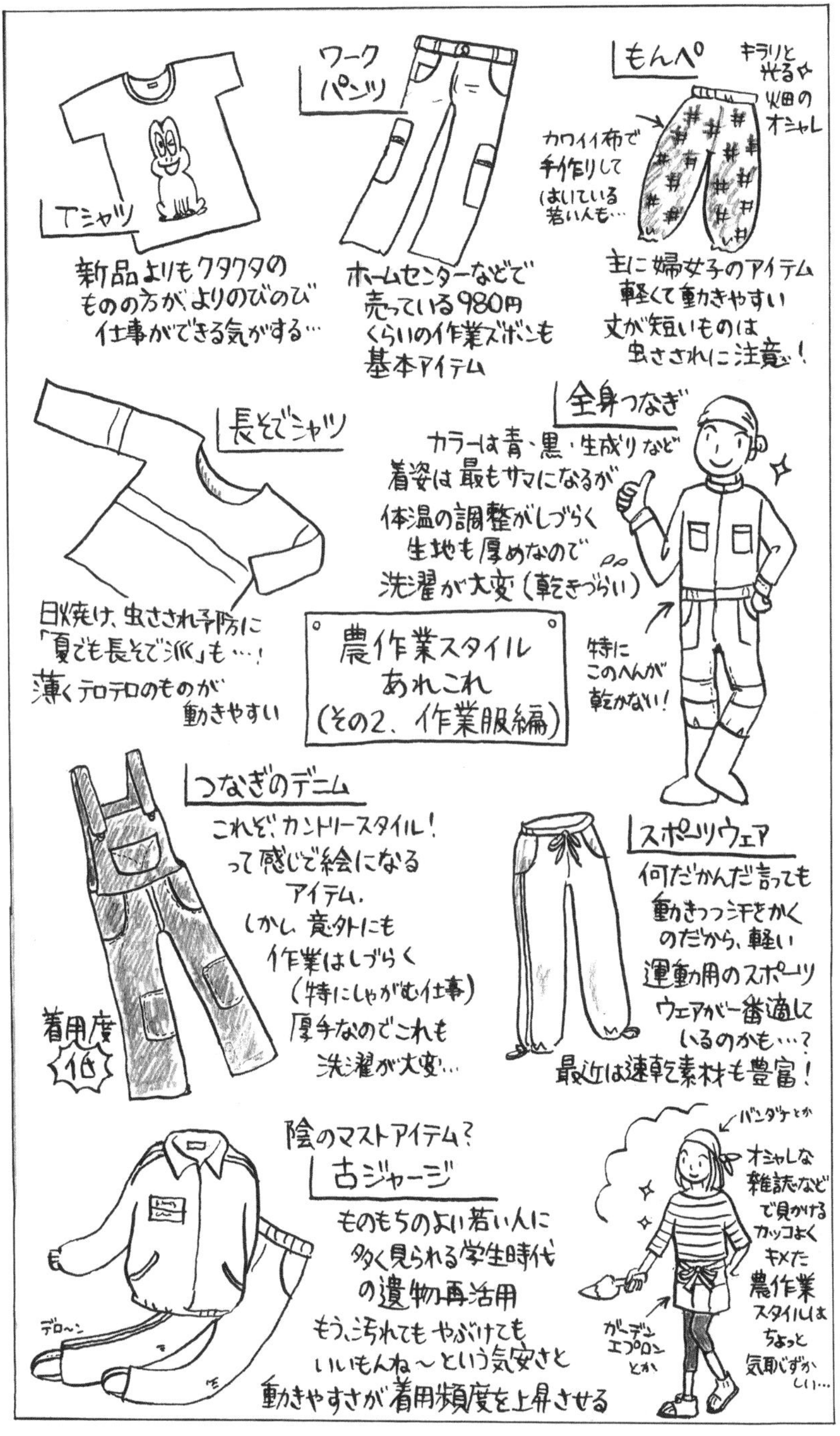

Tシャツ
新品よりもクタクタのものの方がよりのびのび仕事ができる気がする…
ワーク パンツ
ホームセンターなどで売っている980円くらいの作業ズボンも基本アイテム
もんぺ
キラリと光る☆畑のオシャレ
カワイイ布で手作りしてはいている若い人も…
主に婦女子のアイテム
軽くて動きやすい
丈が短いものは虫さされに注意！
長そでシャツ
日焼け、虫さされ予防に「夏でも長そで派」も…！
薄くテロテロのものが動きやすい
全身つなぎ
カラーは青・黒・生成りなど
着姿は最もサマになるが
体温の調整がしづらく
生地も厚めなので
洗濯が大変（乾きづらい）
特にこのへんが乾かない！
農作業スタイルあれこれ（その2、作業服編）
つなぎのデニム
これぞ、カントリースタイル！って感じで絵になるアイテム.
しかし、意外にも作業はしづらく（特にしゃがむ仕事）
厚手なのでこれも洗濯が大変…
着用度 低
スポーツウェア
何だかんだ言っても動きつつ汗をかくのだから、軽い運動用のスポーツウェアが一番適しているのかも…？
最近は速乾素材も豊富！
陰のマストアイテム？
古ジャージ
ものもちのよい若い人に多く見られる学生時代の遺物再活用
もう、汚れてもやぶけてもいいもんね～という気安さと
動きやすさが着用頻度を上昇させる
デロ～ン
バンダナとか
オシャレな雑誌などで見かけるカッコよくキメた農作業スタイルはちょっと気恥ずかしい…
ガーデンエプロンとか

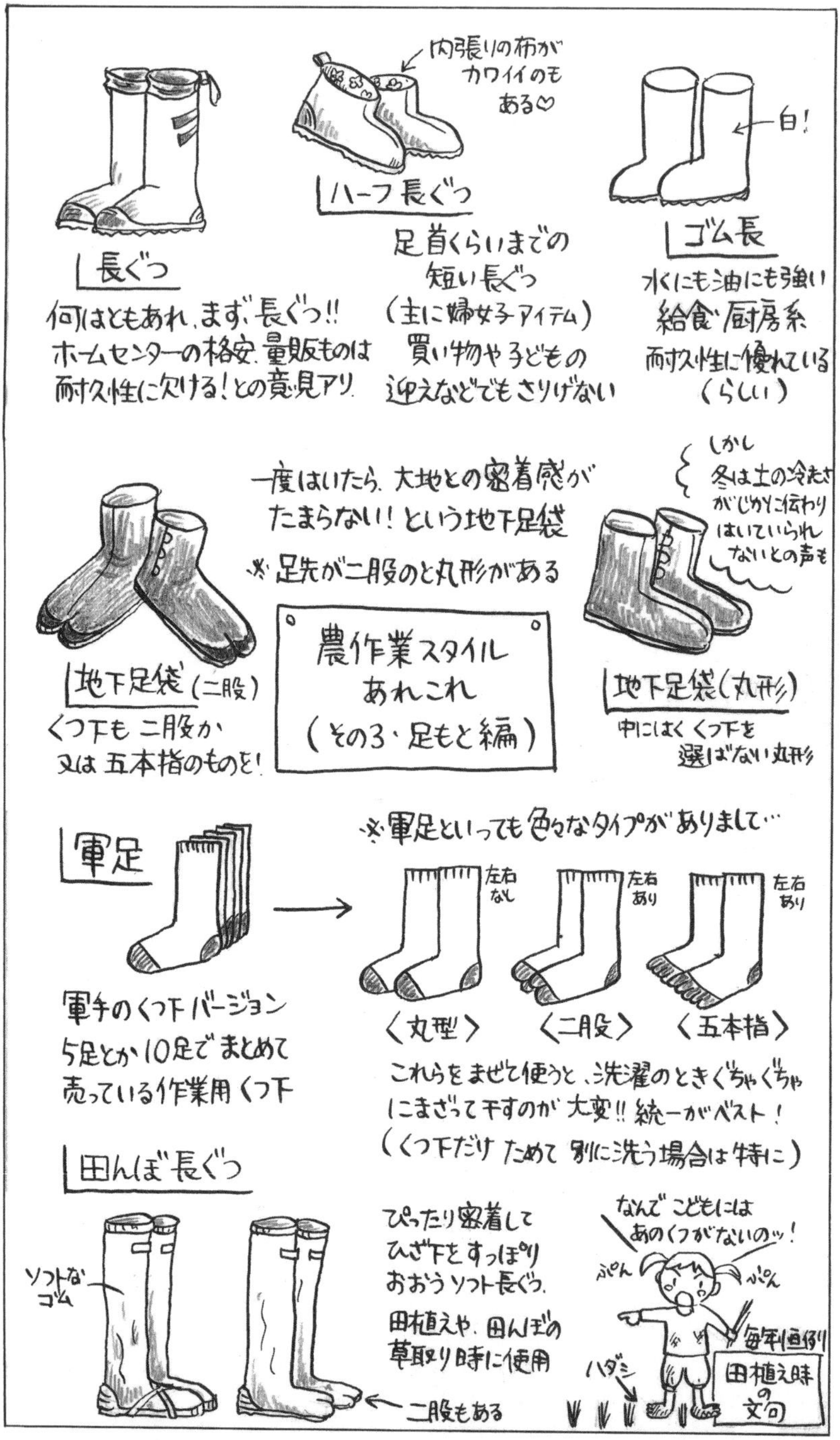
長ぐつ
何はともあれ、まず、長ぐつ!!
ホームセンターの格安、量販ものは
耐久性に欠ける！との意見アリ
内張りの布がカワイイのもある♡
ハーフ長ぐつ
足首くらいまでの短い長ぐつ
（主に婦女子アイテム）
買い物や子どもの迎えなどでもさりげない
白！
ゴム長
水にも油にも強い
給食、厨房系
耐久性に優れている（らしい）
一度はいたら、大地との密着感がたまらない!! という地下足袋
※足先が二股のと丸形がある
しかし冬は土の冷たさがじかに伝わりはいていられないとの声も
農作業スタイルあれこれ（その3、足もと編）
地下足袋（二股）
くつ下も二股か又は五本指のものを！
地下足袋（丸形）
中にはくくつ下を選ばない丸形
軍足
軍手のくつ下バージョン
5足とか10足でまとめて売っている作業用くつ下
※軍足といっても色々なタイプがありまして…
左右なし
左右あり
左右あり
〈丸型〉
〈二股〉
〈五本指〉
これらをまぜて使うと、洗濯のときぐちゃぐちゃにまざって干すのが大変!! 統一がベスト！
（くつ下だけためて別に洗う場合は特に）
田んぼ長ぐつ
ソフトなゴム
二股もある
ぴったり密着してひざ下をすっぽりおおうソフト長ぐつ。
田植えや、田んぼの草取り時に使用
なんでこどもにはあのくつがないのッ！
ぷん
ぷん
ハダシ
毎年恒例
田植え時の文句

農作業スタイルあれこれ（その4、乗り物編）

軽トラック

あまりにも はじめ安い中古車は結局、度重なる修理で高い買い物となることを覚悟！

何はなくとも、まず軽トラ！
軽トラックは農家の足
故障するとたちまち日常業務が立ちゆかなくなるので、できれば近所にかかりつけの整備士さんを持てるとベスト!!

〈農家の軽トラ選びのポイント〉

その① 二駆か、四駆か？

雨や雪、ぬかるみなど、いつ、何があるかわからない野外の仕事では四駆トラックはとても心強い相棒

その② エアコン

エアコンはなくとも、エンジンの熱を利用したヒーターがある！
冬はエンジンの熱で、夏の暑さは窓を開け、風を切って乗り切ろう！

その③ オーディオ

オーディオパネル部分で最も重要なのは、時間を知るための時計！
FMラジオ入ればラッキー♡
ものすごい土ぼこりを常に浴びるので、オーディオ機器後付けは勇気いる挑戦！

八郷のミニ法則

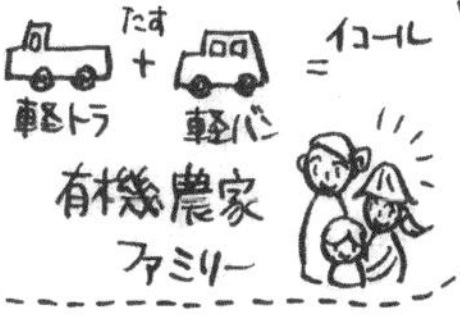

ファミリーカー

座席が全面フラットになるものはかなり色々積める！

新規就農農家のファミリーカーといえば迷わず軽バン！
維持費も安く、出荷時の荷物もたくさん積める

※ちなみに同じようなスタイルの車「バン」と「ワゴン」のちがいとは
- ・バン → 貨物車（荷台が広い）
- ・ワゴン → 乗用車（居住性重視）

※夫婦別々に作業に行くときは…

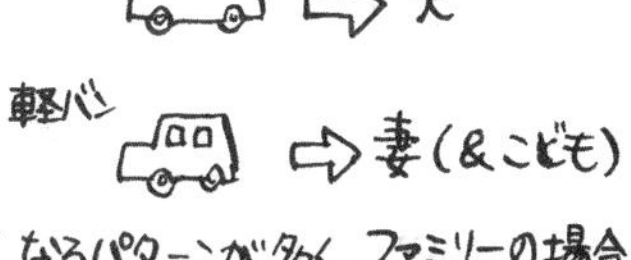

と、なるパターンが多く、ファミリーの場合軽バンに乗る方にこどもの送迎などの業務が課せられます！

☆ココに注意！

軽バンのスライドドアが重くなってきたら要注意！
ドア下のレールをおそうじしましょう！ 小石や砂ぼこりはドアのゆがみの原因になるんだそう

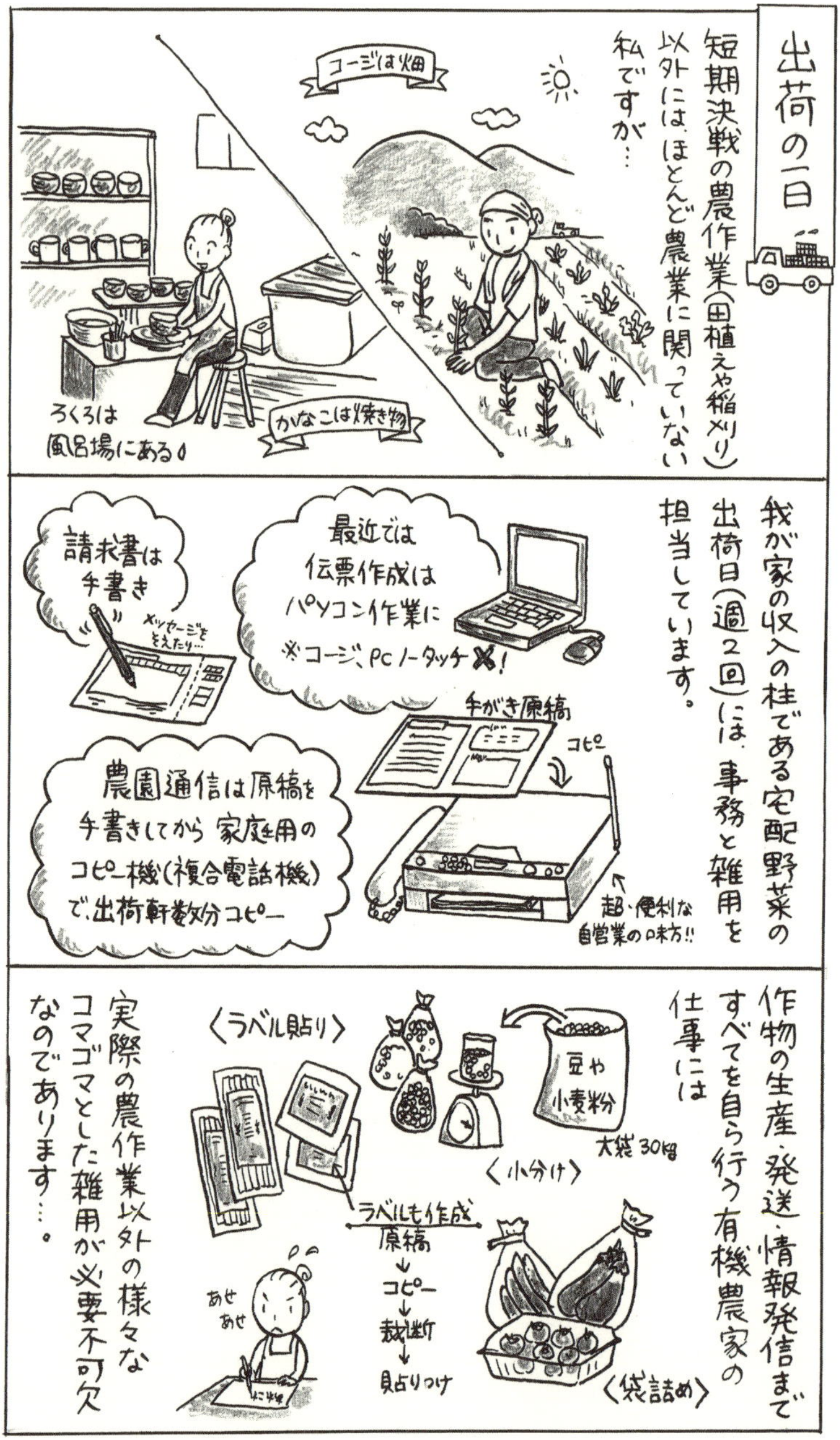
出荷の一日
短期決戦の農作業（田植えや稲刈り）以外には、ほとんど農業に関っていない私ですが…
コージは畑
かなこは焼き物
ろくろは風呂場にある♪
我が家の収入の柱である宅配野菜の出荷日（週2回）には、事務と雑用を担当しています。
最近では伝票作成はパソコン作業に
※コージ、PCノータッチ✗！
請求書は手書き
メッセージをそえたり…
手がき原稿
コピー
農園通信は原稿を手書きしてから家庭用のコピー機（複合電話機）で、出荷軒数分コピー
超・便利な自営業の味方!!
作物の生産、発送、情報発信まですべてを自ら行う有機農家の仕事には
豆や小麦粉
大袋30kg
〈小分け〉
〈ラベル貼り〉
ラベルも作成
原稿
コピー
裁断
貼りつけ
〈袋詰め〉
あせあせ
実際の農作業以外の様々なコマゴマとした雑用が必要不可欠なのであります…。

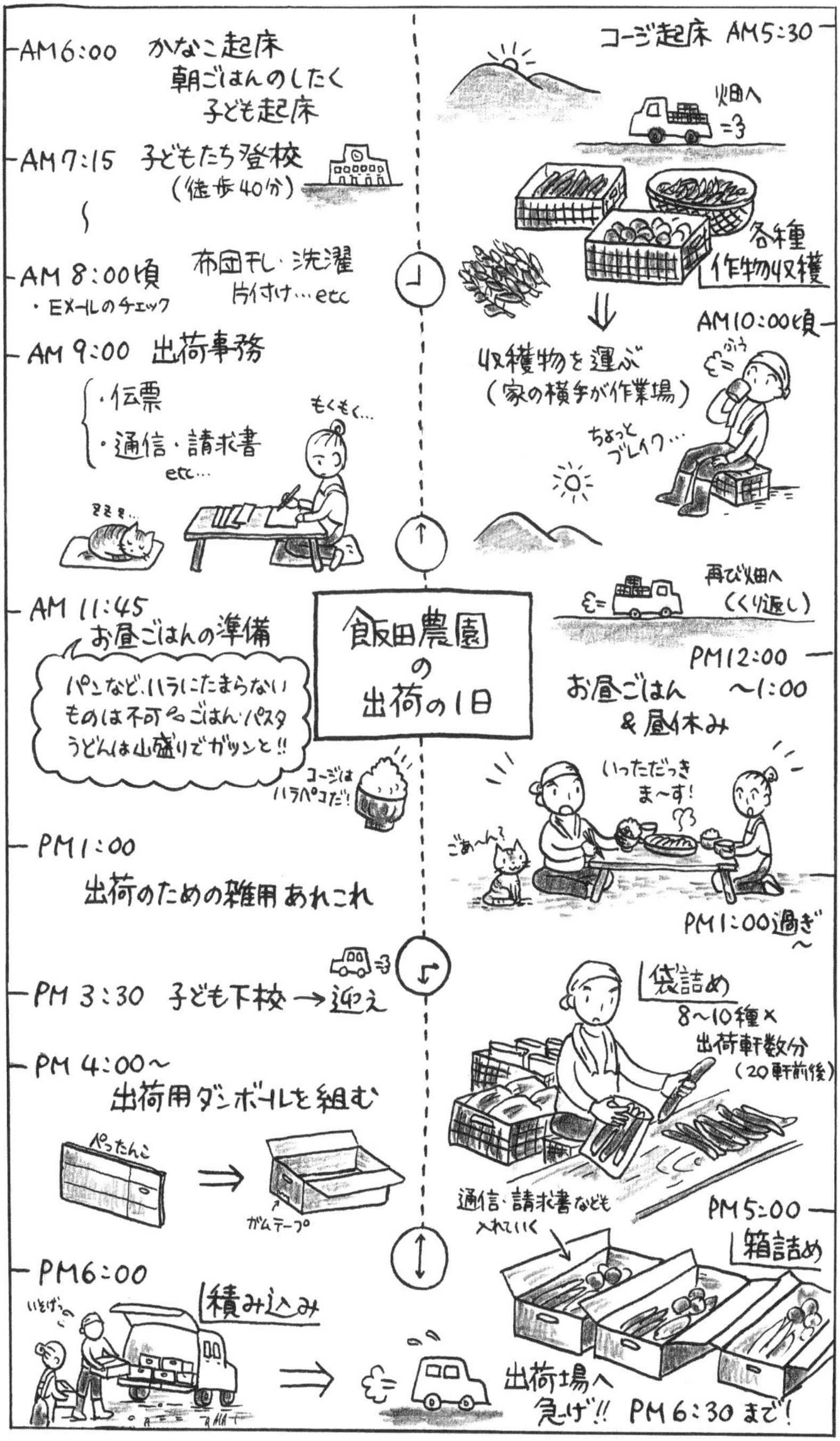
飯田農園の出荷の1日
AM6:00 かなこ起床
朝ごはんのしたく
子ども起床
AM7:15 子どもたち登校
(徒歩40分)
AM 8:00頃
・Eメールのチェック
布団干し・洗濯
片付け…etc
AM 9:00 出荷事務
・伝票
・通信・請求書
etc…
もくもく…
ZZZ…
AM 11:45
お昼ごはんの準備
パンなど、ハラにたまらないものは不可。ごはん・パスタ・うどんは山盛りでガツンと!!
コージはハラペコだ!
PM1:00
出荷のための雑用あれこれ
PM 3:30 子ども下校→迎え
PM 4:00~
出荷用ダンボールを組む
ぺったんこ
ガムテープ
PM6:00
積み込み
いそげっ
コージ起床 AM5:30
畑へ
各種作物収穫
AM10:00頃
収穫物を運ぶ
(家の横手が作業場)
ふぅ
ちょっとブレイク…
再び畑へ
(くり返し)
PM12:00
お昼ごはん ~1:00
& 昼休み
いっただっきまーす!
ごあ~ん?
PM1:00過ぎ~
袋詰め
8~10種×
出荷軒数分
(20軒前後)
通信・請求書なども
入れていく
PM5:00
箱詰め
出荷場へ
急げ!! PM6:30まで!

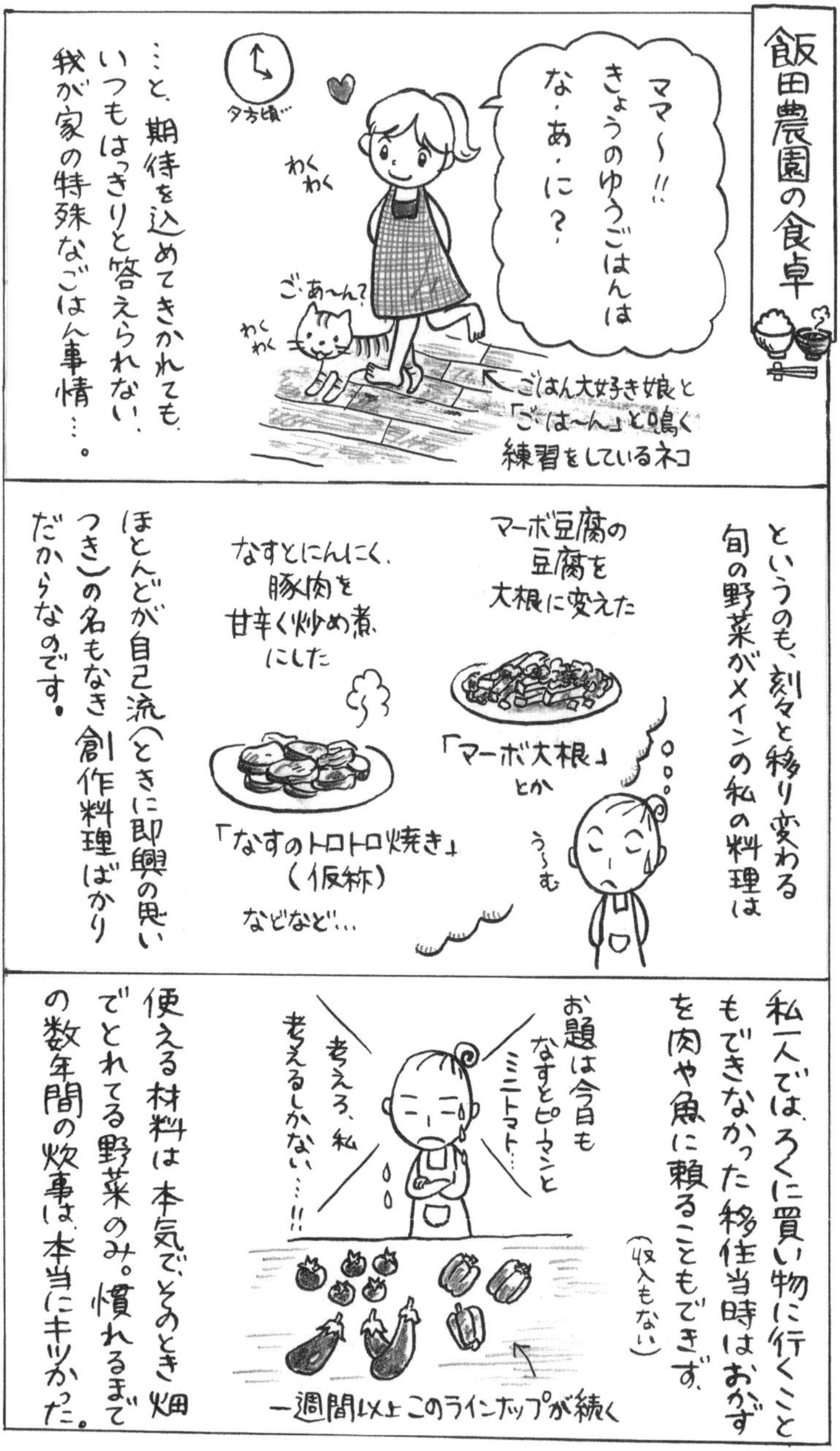

飯田農園の食卓
ママ～!! きょうのゆうごはんは な・あ・に？
夕方頃…
わくわく
わくわく
ごあ～ん？
ごはん大好き娘と「ごは～ん」と鳴く練習をしているネコ
…と、期待を込めてきかれても いつもはっきりと答えられない、我が家の特殊なごはん事情…。
というのも、刻々と移り変わる旬の野菜がメインの私の料理は
マーボ豆腐の豆腐を大根に変えた
「マーボ大根」とか
なすとにんにく、豚肉を甘辛く炒め煮にした
「なすのトロトロ焼き」（仮称）
などなど…
う～む
ほとんどが自己流（ときに即興の思いつき）の名もなき創作料理ばかりだからなのです。
私一人ではろくに買い物に行くこともできなかった移住当時はおかずを肉や魚に頼ることもできず、
（収入もない）
お題は今日もなすとピーマンとミニトマト…
考えろ、私 考えるしかない…!!
一週間以上このラインナップが続く
使える材料は本気でそのとき畑でとれてる野菜のみ。慣れるまでの数年間の炊事は本当にキツかった。

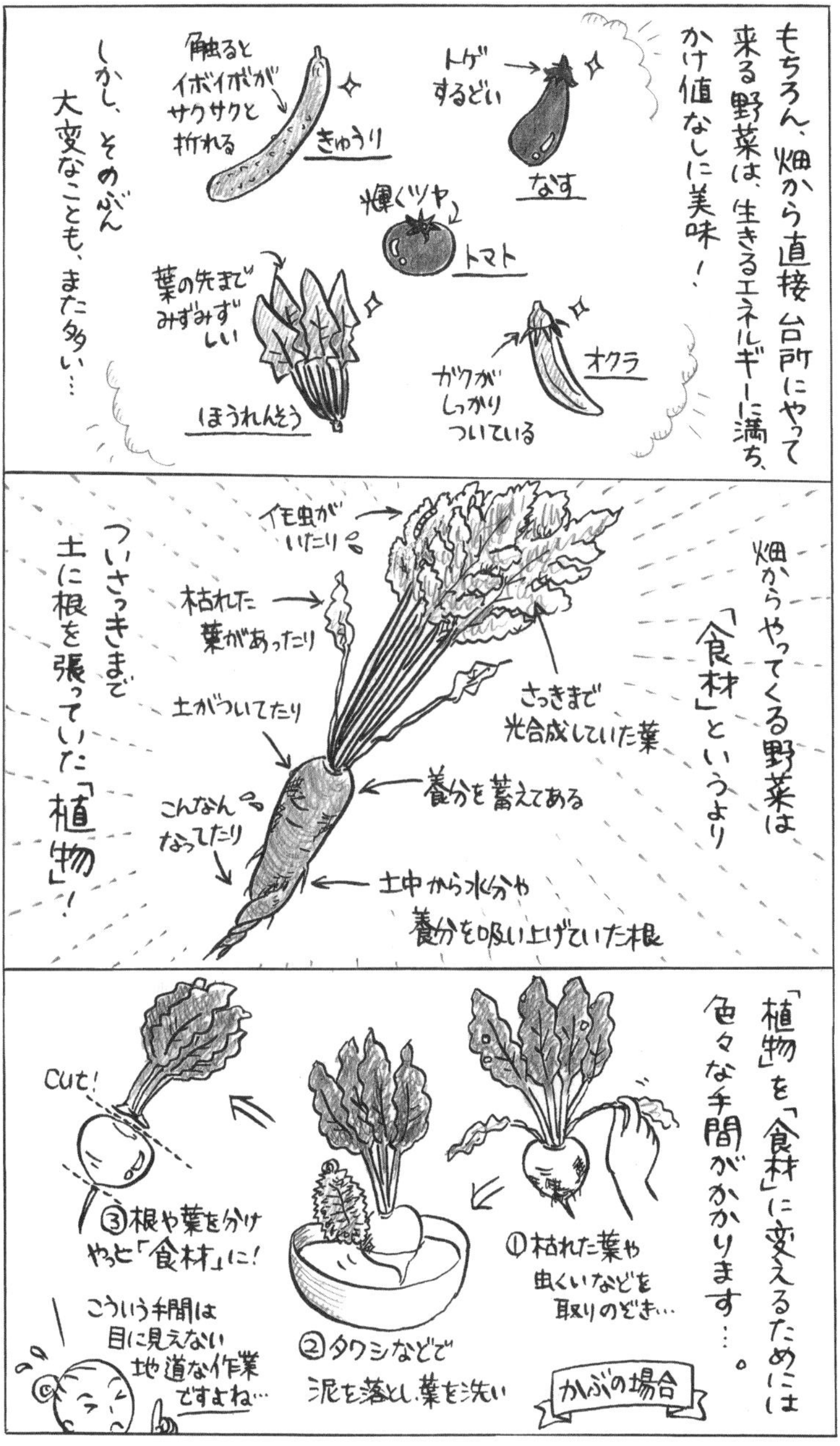
もちろん、畑から直接台所にやって来る野菜は、生きるエネルギーに満ち、かけ値なしに美味！
トゲするどい
なす
触るとイボイボがサクサクと折れる
きゅうり
輝くツヤ
トマト
ガクがしっかりついている
オクラ
葉の先までみずみずしい
ほうれんそう
しかし、そのぶん大変なことも、また多い…
畑からやってくる野菜は「食材」というより
ついさっきまで土に根を張っていた「植物」！
イモ虫がいたり
枯れた葉があったり
さっきまで光合成していた葉
土がついてたり
養分を蓄えてある
こんなんなってたり
土中から水分や養分を吸い上げていた根
「植物」を「食材」に変えるためには色々な手間がかかります…。
かぶの場合
①枯れた葉や虫くいなどを取りのぞき…
②タワシなどで泥を落とし、葉を洗い
Cut!
③根や葉を分けやっと「食材」に！
こういう手間は目に見えない地道な作業ですよね…

よく「完全な自給自足ですかっ」と聞かれたりもしますが、
〈買わないもの〉
お米
野菜
大豆
みそ
小麦粉
flour
うどん
うどん
〈買うもの〉
肉
牛乳
MILK
さかな
調味料
さとう
しお
お菓子
油
OIL
全然そんなことありません。
しかし、いつもいつも色々な野菜を育てている有機農家は、たとえ野菜がとれないときも「野菜は自給魂《ダマシイ》」で、決して安易にスーパーの野菜を買ってきたりしません。
ぷんぷん
なんでにんじんとか買ってくるんだよ!!
スーパーで買ったにんじんを見つけたコージ
……。
だってないんだもん
就農初期
コレをやって何度コージさんを怒らせたことか…。
その結果、「いつでも採れたての野菜が食べられるなんていいですね!」と、思われている有機農家は
うっ…
タケノコよ今日もおまえが頼りなの…
野菜が食べたい!!
(でも買わない)
山菜はあまりハラの足しにならない…
収穫物の途絶える端境期には野菜不足に陥っていたりします…。

そういえば、農家の主婦になって10年
まいどっ！
私は「出前」というものを一度も利用したことがない。
食材が売るほど"ある中、出来合いの品を注文するのも、かなり勇気がいることだと思うのですが…
ごはん
やさい
常にある自家製の
うどん
小麦粉
しかし、それより何より
出前エリアア外。
ホウ
ポツーン…
夜はほんとにふくろうの（又はミミズク？）鳴き声がきこえます。
あの山の中腹に光が見えない～？
え～どこ～？
毎日毎日野菜でごはんを作りながら
イミない問い
ねえねえもしうちに出前がとれたら
そしたら何を頼みたい～？
みうちゃんはおすし～！
おすしくるの？
うちに出前きたらスゲーよ！来るわけねーし
ちょっと憧れています…。

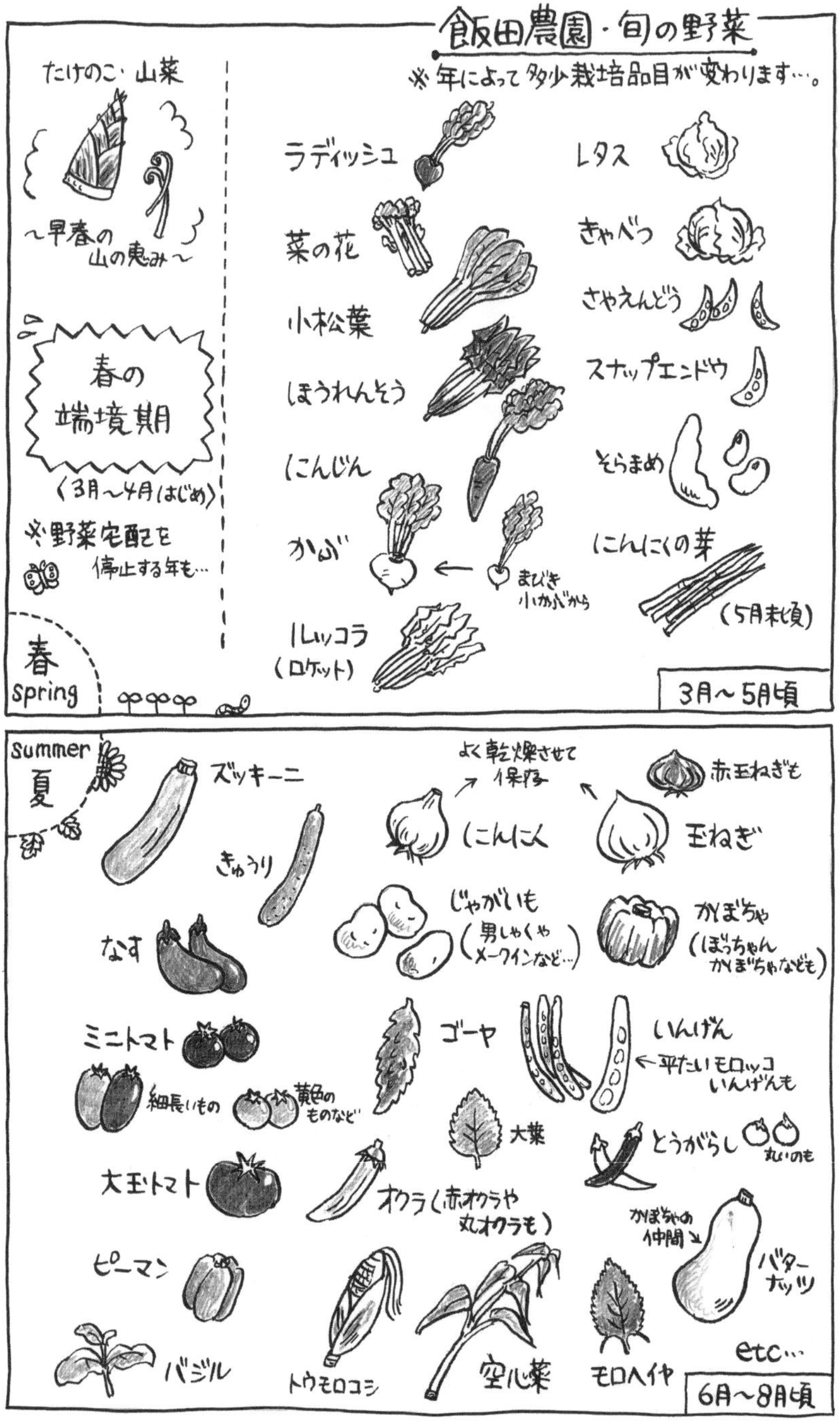
飯田農園・旬の野菜
※年によって多少栽培品目が変わります…。
たけのこ 山菜
〜早春の山の恵み〜
春の端境期
〈3月〜4月はじめ〉
※野菜宅配を停止する年も…
春
spring
ラディッシュ
菜の花
小松菜
ほうれんそう
にんじん
かぶ
まびき小かぶから
ルッコラ
（ロケット）
レタス
きゃべつ
さやえんどう
スナップエンドウ
そらまめ
にんにくの芽
（5月末頃）
3月〜5月頃
summer
夏
ズッキーニ
きゅうり
なす
ミニトマト
細長いもの
黄色のものなど
大玉トマト
ピーマン
バジル
よく乾燥させて保存
にんにく
玉ねぎ
赤玉ねぎも
じゃがいも
（男しゃくやメークインなど…）
かぼちゃ
（ぼっちゃんかぼちゃなども）
ゴーヤ
いんげん
←平たいモロッコいんげんも
大葉
とうがらし
丸いのも
オクラ（赤オクラや丸オクラも）
かぼちゃの仲間
バターナッツ
トウモロコシ
空心菜
モロヘイヤ
etc…
6月〜8月頃

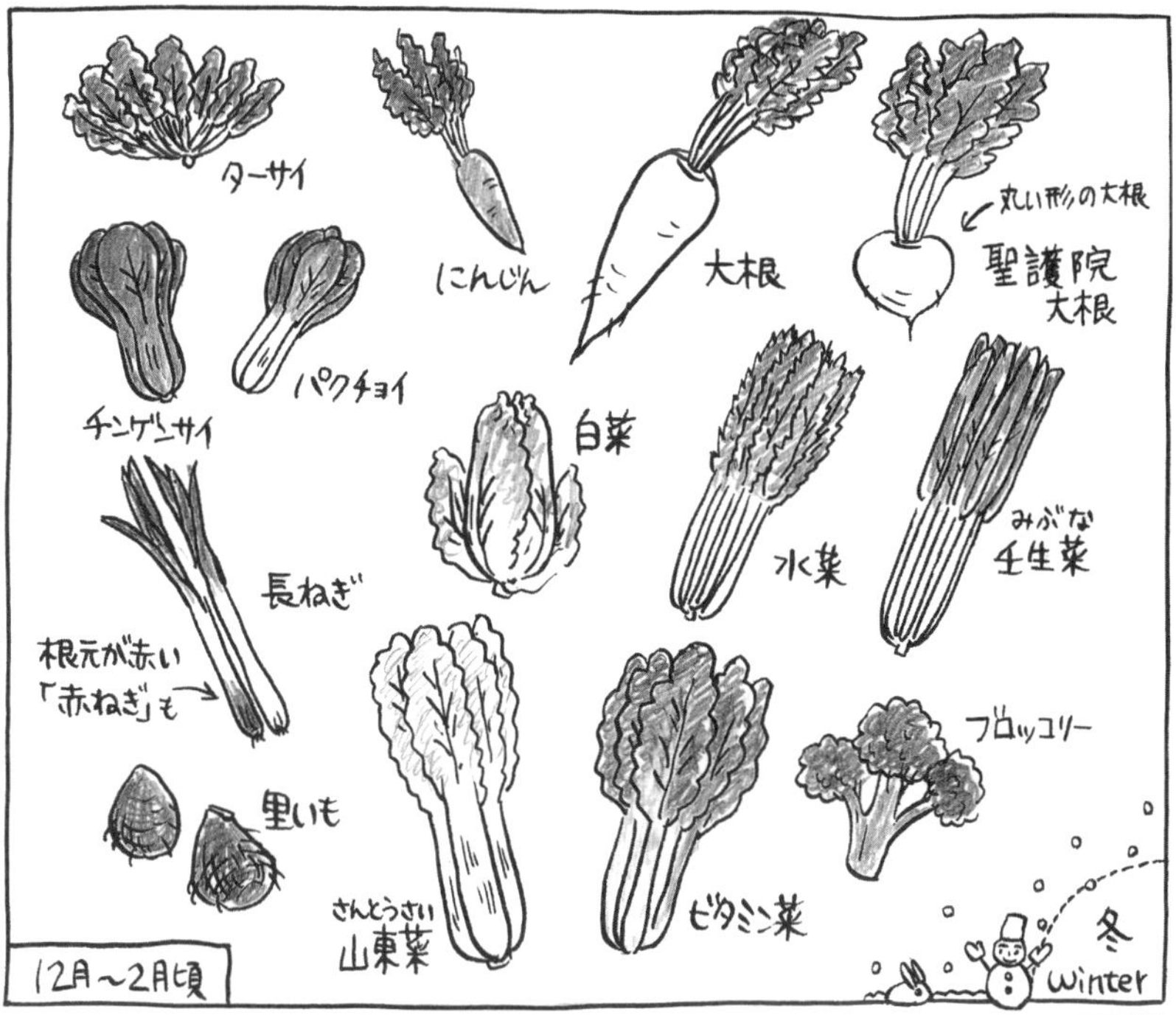
ターサイ
にんじん
大根
丸い形の大根
聖護院大根
チンゲンサイ
パクチョイ
白菜
水菜
壬生菜《みぶな》
長ねぎ
根元が赤い「赤ねぎ」も
里いも
山東菜《さんとうさい》
ビタミン菜
ブロッコリー
冬
Winter
12月～2月頃

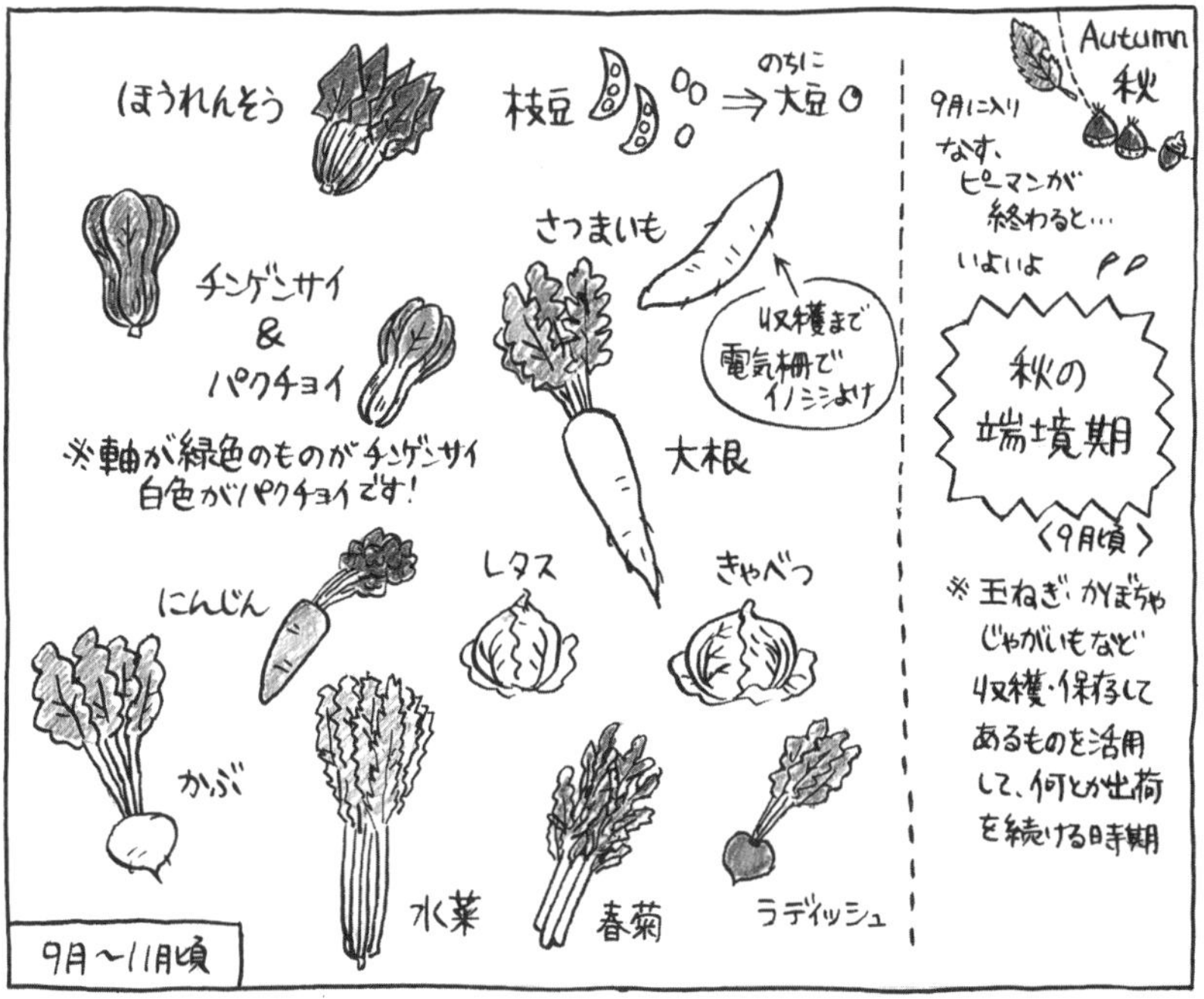
ほうれんそう
枝豆
のちに
⇒大豆
さつまいも
収穫まで電気柵でイノシシよけ
チンゲンサイ
&
パクチョイ
※軸が緑色のものがチンゲンサイ
白色がパクチョイです!
大根
にんじん
レタス
きゃべつ
かぶ
水菜
春菊
ラディッシュ
9月～11月頃
Autumn
秋
9月に入り
なす、
ピーマンが
終わると…
いよいよ
秋の端境期
〈9月頃〉
※玉ねぎ、かぼちゃ
じゃがいもなど
収穫・保存して
あるものを活用
して、何とか出荷
を続ける時期

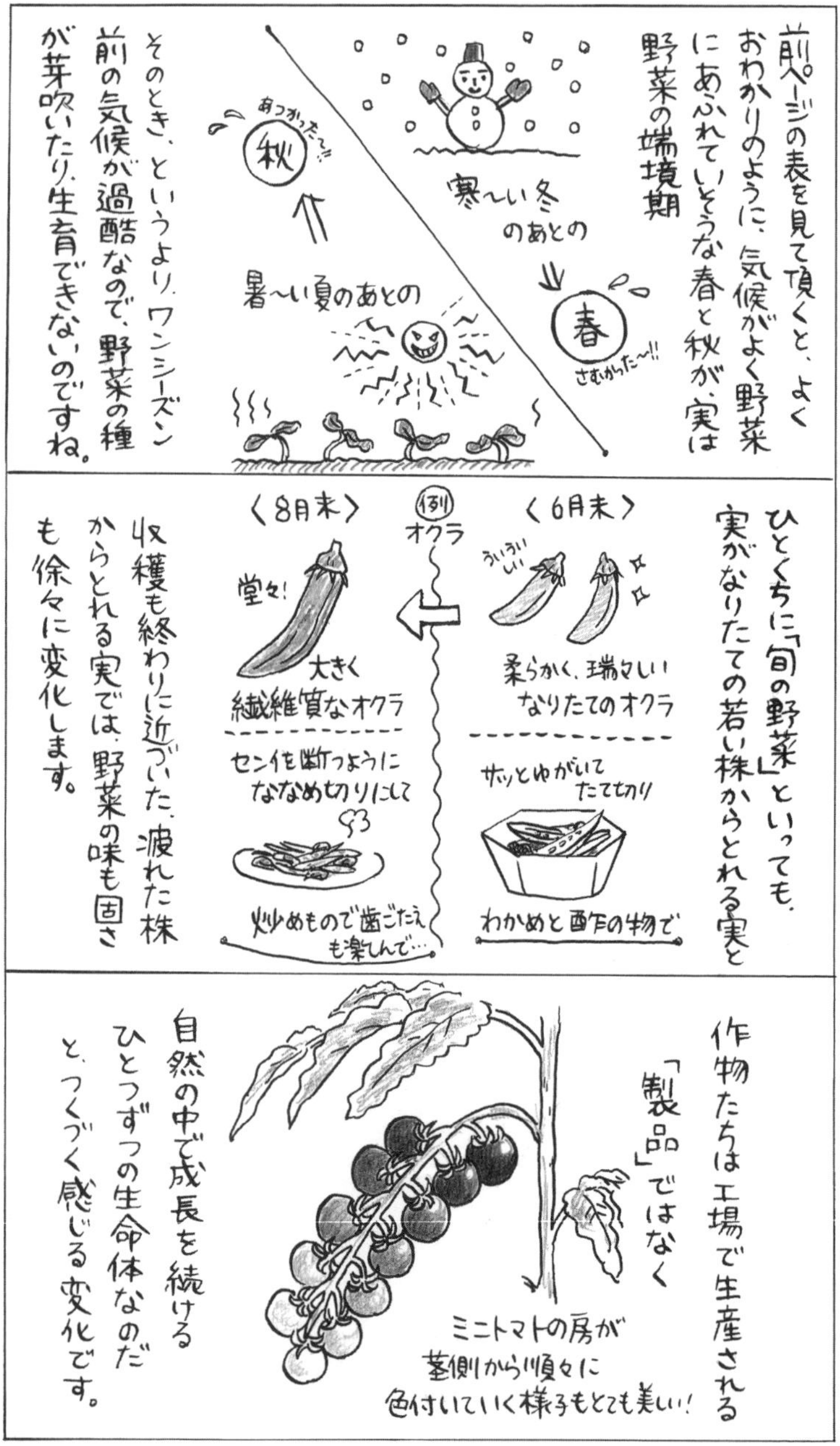
前ページの表を見て頂くと、よく
おわかりのように、気候がよく野菜
にあふれていそうな春と秋が、実は
野菜の端境期
寒〜い冬
のあとの
春
さむかった〜!!
暑〜い夏のあとの
秋
あつかった〜!!
そのとき、というより、ワンシーズン
前の気候が過酷なので、野菜の種
が芽吹いたり、生育できないのですね。
ひとくちに「旬の野菜」といっても、
実がなりたての若い株からとれる実と
〈6月末〉
ういういしい
柔らかく、瑞々しい
なりたてのオクラ
サッとゆがいて
たて切り
わかめと酢の物で
例
オクラ
〈8月末〉
堂々!
大きく
繊維質なオクラ
センイを断つように
ななめ切りにして
炒めもので歯ごたえ
も楽しんで…
収穫も終わりに近づいた、疲れた株
からとれる実では、野菜の味も固さ
も徐々に変化します。
作物たちは工場で生産される
「製品」ではなく
ミニトマトの房が
茎側から順々に
色付いていく様子もとても美しい!
自然の中で成長を続ける
ひとつずつの生命体なのだ
と、つくづく感じる変化です。

夏や冬など、野菜があれこれ豊富にとれる時期は、それらを消費するのに精一杯で、なかなか保存食作りにまで手が回らない私ですが、
大玉トマト
成功すれば1年以上もつ
イタリアン(加工用)トマト
ミニトマトでもOK!
唯一、毎年恒例になっているのが、たくさんとれたトマトを煮込んで瓶づめにして保存すること。
夏の盛りにコンロ2つに火をつけて大量のトマトを煮込むのは大変ですが
熱気!!
大鍋×2
毎年恒例 ひとりトマト祭り!
あっつい!!
大量のトマト
トマト瓶が常備されていることは苦労を補って余りある有難みがあるもので…。
自家製の有機栽培トマト瓶は美味しい上に話題性もあって来客時のごはん作りにも重宝します!
大豆を入れて辛くしてチリコンカン風も美味♡
トマトシチュー
トマト瓶♡
これさえあれば
自家製ピザ
台の粉も自家製小麦
トマトパスタ
トマトカレー
田植え・稲刈りなどの大人数のごはんに!
ラタトゥイユ
ベイリーフの葉も山に生えてるのを
コレ、うちでとれたトマトの味です♡

飯田農園的トマトの瓶づめの作り方

※味つけはなしのプレーンタイプ

いろいろなやり方がありますので
ご参考まで…

用意するもの

・完熟トマト たくさん
・ビン
・トング、大きめのフォーク
・清潔なタオル
・大鍋2つ、ザル、おたま

ビン

ホームセンターなどで
㊥90円
㊝120円
くらいで売っています
（もちろん、リサイクル瓶でも！）

480mlのビンで
大玉トマト3〜4コ分

900mlのビンで
大玉トマト6〜7コ分

くらいが大体の目安です

〈作り方〉

① 傷んでいる部分がないかチェックしながらトマトを洗います。

② トマトのヘタの部分を包丁でくるりとくり抜き、取りのぞきます。

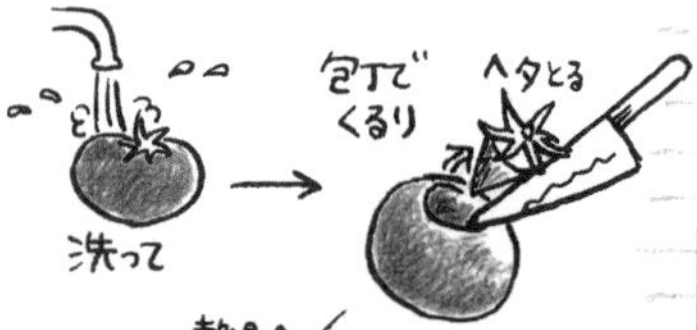

洗って
包丁でくるり
ヘタとる

③ 大鍋の1つにお湯をわかし〔なべⒶ〕
②のトマトを入れ、皮が割れたものからフォークでとってザルにあげ、皮をむきます。
（湯むき）

熱湯へ
フォークでとって
皮むく
つるり
なべⒶ
煮込み鍋へ
なべⒷ
こっちの鍋は洗って次にビンの煮沸に使います

④ もう1つの鍋に③の湯むきしたトマトをどんどん入れ、ある程度たまってきたら火をつけ、トマトの水分を煮飛ばしていきます。
〔なべⒷ〕

⑤〔ビンの用意〕
湯むきに使った鍋《なべⒶ》を洗い、新しくきれいなお湯をわかし直して、よく洗ったビンとふたを煮沸消毒して、トングで清潔なタオルにふせて、水気を切ります。

ふた&ビン
なべⒶ
トング
タオル

⑥ ④のトマトの水分が2/3くらいまで飛んだらおたま（あったらレードル）で⑤のビンに口いっぱいまでつめ、軽くふたをかけて、もう一度熱湯につけて、湯せんします。（脱気）

⑦ 2〜3分煮沸したら、ギュッとふたを閉めて、出来上がり！→ふたが少しへこんだら成功の印

軽くふたかける
フタとの間の空気が逃げ真空になる
なべⒶ

飯田農園の動物たち
飯田農園でこれまでに世話をした動物は…
←メスでもツノあり
ヤギ♀×1頭
なぜかきた
ガチョウ
×3羽
でっかい卵も産んだ
食べられるけどちと固め
鶏
♂×1羽
♀×20羽
かってにやってきた
ネコ♂×1
就農1年目にきた
イヌ♂×1
有機農家が鶏を飼うのは理想的。卵もとれるし、良質の鶏ふんは、よい堆肥の材料になる（ハネ野菜もエサに活用）
〈鶏舎の中にて〉
産んだ卵を抱いているメンドリ♀
産みたて卵はあったかい
ジロ～
コワ～
ゴメンよ!
卵をとりに来た
つつかれ防止にひしゃくで卵をすくう根性なしの私
うちの20羽も、よく卵を産んでくれ、一時期は出荷もしていたが、
コーコッコココ
コッコッ
コッ
効率よく卵をとるために、産みが悪くなった鶏を廃鶏にして、新たなヒヨコを育てる、というローテーションをうまく回していかないといけないのが大変で中断中。
ピヨピヨピヨピヨ
ピヨピヨピヨピヨ
ピヨピヨピヨピヨ
ぎっしり!
寒い時期にはヒヨコのために鶏舎にコタツを入れたりもする
イタチやネコなどの襲撃にも要注意!!

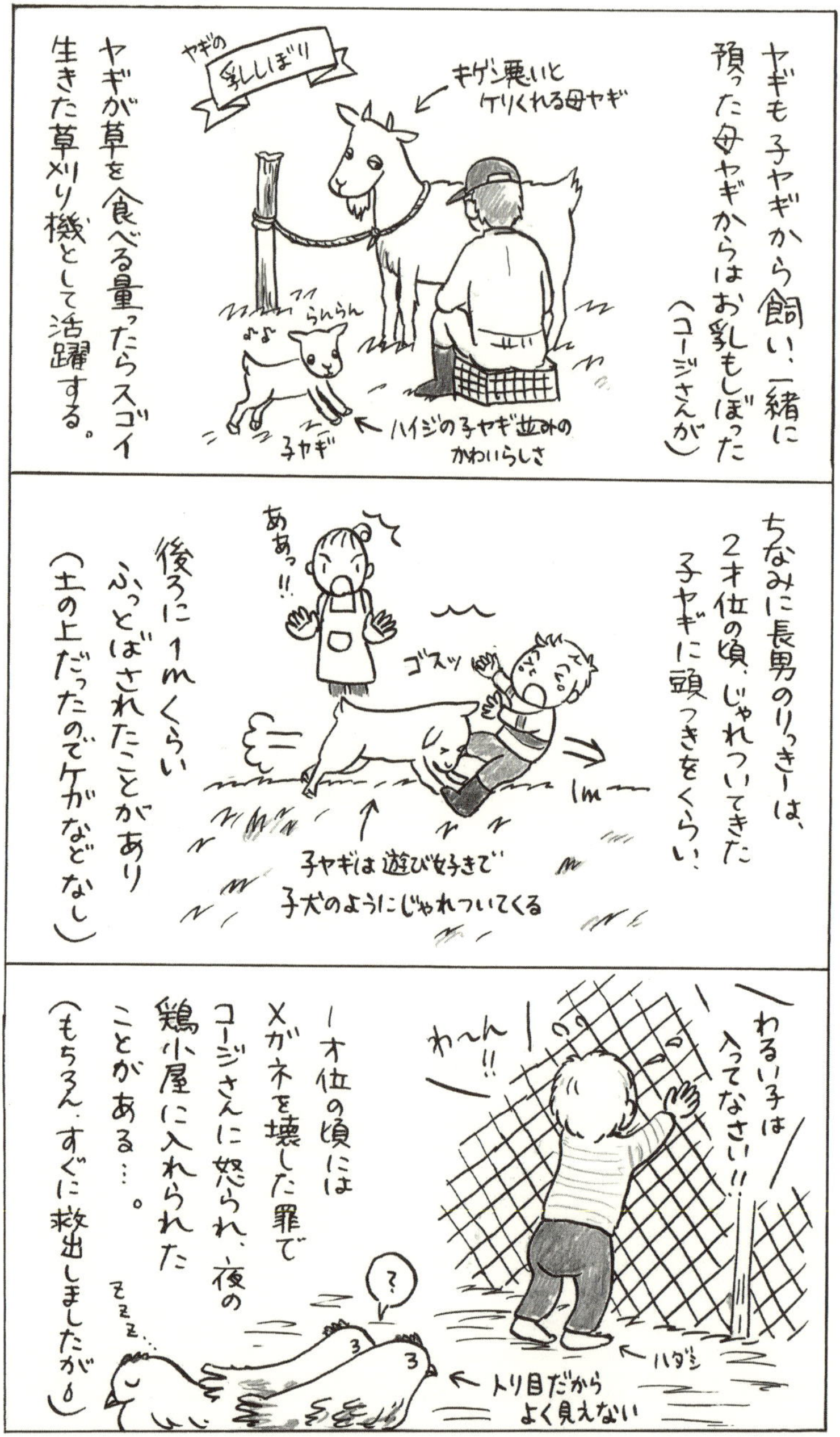

ヤギも子ヤギから飼い、一緒に
預った母ヤギからはお乳もしぼった
（コージさんが）
キゲン悪いとケリくれる母ヤギ
ヤギの
乳しぼり
らんらん
ぴょ
ハイジの子ヤギ並みのかわいらしさ
子ヤギ
ヤギが草を食べる量ったらスゴイ
生きた草刈り機として活躍する。
ちなみに長男のりっきーは、
2才位の頃、じゃれついてきた
子ヤギに頭つきをくらい、
ああっ!!
ゴスッ
1m
子ヤギは遊び好きで
子犬のようにじゃれついてくる
後ろに1mくらい
ふっとばされたことがあり
（土の上だったのでケガなどなし）
わるい子は入ってなさい!!
わ〜ん!!
1才位の頃には
メガネを壊した罪で
コージさんに怒られ、夜の
鶏小屋に入れられた
ことがある…。
？
ハダシ
トリ目だから
よく見えない
ぞぞぞ…
（もちろん、すぐに救出しましたが）

飯田農園のこどもたち
我が家の子どもたちは山育ち
あははは
まて
まてぇ!
見上げるような急坂を
かけ上がるくらい朝飯前…。
おこづかいはバイト式。
稲刈りなどはいい収入になる仕事
一束運んで5円のレートで
これで13たば
はこんでるから〜
13×5円で〜
…
気合いの山もり
りっきー、
みうちゃんは
いま、なんえん〜?
ちょっとずつしか
運べない
働きながら必死で暗算もする
これぞ、生きた算数!
上の子りっきーはメリハリ型だが
下の子ミウはスタミナ型。
完全に父側の遺伝子だ…。
ものすごい根性を見せる
ミウちゃんの
にんじんの草取り
まだ
いい!
もくもく…
手早くキレイになっていく
みうちゃ〜ん
ちょっと休みなよ〜!!
このときの草取りは
延々、2時間ほど
続いたのだった…

いつか
オレはもう山の中に住んでるなんてイヤなんだよ！
りっきー青年
…とか
想像図
もう、マジ山とかムリなんだけど
お年頃ミウ姉さん
とか言い出すときにそなえて
今のうちに最大限
ハンモックだいすき〜！
とうもろこしあま〜い♡
おいしいネ
オニヤンマ！
山の楽しさを満喫してほしい
まあ、
みんな敷地内
あんたたち！一度は街に住みなさいヨ！！
あたしのうちココよ♡
あ、オレんちこっちやっぱ山でしょ！
いつまでたっても山にいるってのも
困るかもしれませんが…。

飯田農園 農園主 コージさん

インタビュー

飯田農園の農園主であり、「飯田農園誕生物語」のもう一人の主人公であるコージさん。土地探しから開墾、家づくり、農園の切り盛りと、自力で道を切り拓いてきたその原動力は、どのように培われてきたのでしょうか？

その原点を探るべく、子ども時代や海外一人旅の思い出、開拓期から就農にいたるまでにしたこと・考えたことについてあらためて尋ねるとともに、日々農にたずさわる中で感じること、農にかける思いについて語ってもらいました。

――農業をやろうと思ったきっかけはなんですか？
いつ頃から農業をやろうと思っていたのですか？

中学生くらいまで、将来の夢は「漁師になること」でした。高校生の頃には、一度はサラリーマンとして働くだろうとは思っていたけれど、農業にかぎらず、自分の力で自分の生活を支えるような「自給的な暮らし」がしてみたかった。いずれは海や山の近くに住みたいと考えていたので、そういう場所に住むなら、自分の食べものは自分でまかなえるような暮らしがしたいと思い描いていました。

収入については、どんな暮らしでも多少なりとも現金はいるだろうし、それを確保するのが大変だということはいろいろなところでよく聞いていたけれど、実際にやってみないとわからないと思っていました。

――自給的な暮らしへの憧れはどのようにかたちづくられたと思いますか？
また、どんな子ども時代を過ごしましたか？

小学校入学までは神奈川県横浜市、その後は成人するまで東京（港区と千代田区）で過ごしましたが、小学校二年から四年までの間は、公務員だった父の転勤に伴って北海道の苫小牧《とまこまい》市に住んでいました。

僕は幼い頃から虫や魚を捕まえたり、生きものとじかにふれあうことが大好きで、幼少期に住んでいた横浜は、当時まだ大規模な都市開発が行われる前で、周囲には雑木林がたくさん残っていたので、そんな自然の中がお気に入りの遊び場でした。

北海道では自然のスケールの大きさに圧倒されました。大自然の中を毎日何キロも自転車で駆け回り、自由にのびのびと遊びました。

北海道時代のことでとくに思い出深いのは、広大な畑の中、家族で山ほどアスパラガスの収穫をしたことや、海辺へ行って、天然の毛ガニやウニをたくさん獲ったこと。当時の海はよほど豊かだったのか、テトラポットのある海岸では堤防のところにたくさんの天然のウニがいて、ビニールひもを裂いてつくったぼんぼりを長い竹ざおの先につけ、それでテトラポットを探ると、おもしろいようにウニが獲れました。テトラポットのすきまにはカニもいて、これは手で捕まえられました。もちろん食べられる種類で、とてもおいしかった。

二年間の北海道生活のあと、小学四年生からは東京に移りましたが、港区の浜松町の自宅からは東京湾が近かったので、東京に引っ越してからも本当によく釣りに行きました。竹芝桟橋付近は当時所属していた少年野球チームの練習場所であり、僕の釣りスポットでもありました。

高学年になってからは釣ざおを持って電車に乗り、日の出桟橋や大井競馬場のほうへも釣りに出かけました。ボラやハゼ、カタクチイワシ、時には大きなスズキがかかることもあり、釣れた魚は家に持って帰ると母が天ぷらにしてくれたので、僕も当時から母と一緒に台所に立って魚のさばき方などを教わりました。

こんなふうに自分で採ったものを自分で食べるという経験は、本当に楽しかったし、僕の母も、植物を育てたり、食べるものを素材から手づくりすることが好きだった。こんな体験も、のちに「自給的な暮らし」を求めていく気持ちのもとになっているかもしれません。

――海外一人旅に出ようと思ったその動機は？

小学校の高学年から英語を習い始める中学校にかけて、東京タワーの近くに住んでいたこともあり、外国人旅行者との出会いは日常的で、覚えたての片言の英語で挨拶したり、道を教えたりするうち、手紙のやり取りをする外国人の友達ができたりしました。加えて元軍医で海外生活も経験したことのある祖父が、退職後、世界各地に旅行に出かけていたことにも影響を受け、海外に興味を感じ始めました。

また、北海道の大自然と東京での都会の暮らし、そのどちらも体験する中で「もっと広い世界を見たい」という気持ちが自然に生まれ、世界各地の名所や遺跡を訪れてみたいと思うとともに、その土地土地の人々の生活を肌で感じてみたいと考えるようになりました。

――印象に残った国、好きな国はどこですか？

印象に残った国は、一九歳の時に初めて訪れたスリランカ。海がものすごくきれいで、島の人々のシンプルで素朴な生活にとても魅力を感じました。大好きなサーフィンをしながら、ゆったりとした海辺の滞在を存分に楽しみました。

それから、スリランカとは対照的な山国のネパールも、ヒマラヤの山並みと神秘的な湖がとても印象的な国でした。

好きな国は、二五歳からの南米旅行時代に訪れたブラジル。危険といわれるエリアも多いけれど、とにかく自由な空気感、人々の活気とエネルギーが半端じゃなかった。滞在した中では、リオやサンパウロなどの大都会より、北東部の海沿いのバイーアやカノア・ケブラーダ、トランコーゾといった素朴な村が好きでした。

トランコーゾでは、一九七〇年代から日本を出て海外を旅し始めたという、現在のバックパッカーの先駆けのような男性と出会いました。彼は釘を一本も使わない方法で、何年もかけて自力で海辺に家を建てている途中で、彼の家にお世話になりながら、しばらくの間家づくりを手伝いました。

彼はいろいろな意味でその後の僕に大きな影響を与えた人物で、自分の力で家を建て、そこで生活することは、決して無理な話ではないのだと、そこでの滞在で初めてセルフビルドを身近に感じました。

――帰国後、移住先を探すにあたりどんなことを考えていましたか？

二〇代の五年間のサラリーマン（芸能プロダクションでのタレントマネージャー業）時代に、担当していたタレントのテレビ番組の取材で、日本全国津々浦々の農産地や農協をまわっていたので、日本各地の様子はなんとなくわかっていました。その中でも、街でも村でもなく、湧《わ》き水が自分で確保できるような、自然がなるべくそのままの状態で残っている場所で生活してみたいと思っていました。

加えて、もともと海が大好きで、海外を旅していた頃には貝や天然石を使って、海の生きものをモチーフにしたアクセサリーをつくって販売していたこともあり、自分としては海沿いに移住したかったけれど、焼きものの仕事を続けたいという妻の希望を優先して、茨城県笠間市の周辺を探しました。

――八郷でこの山の中の土地を見た時の第一印象は？

あとからめずらしいケースと言われたけれど、人を介さずに自力で土地を見てまわる中で、この場所に出合いました。

最初に訪れた時、大きい山を背にした南向きの斜面であることと、ほとんどが休耕田だったけれど、すぐ下に棚田があるところがまず気に入りました。それに加えて棚田の水は山からの湧き水を利用していて、生活水としてきれいな沢水が確保できることもよかった。決め手になったのは、同じ集落に馬を飼っている人がいたこと。その馬と飼い主の方との出会いで、いっぺんにこの場所に惹きつけられました。

生活することに精いっぱいで、就農して一〇年たった今もまだ実現はしていないけれど、いつか自分の馬を飼ってその馬で田畑を耕したり、移動したりすることは、かなえたい夢の一つです。

——この土地を選んだ時、家族が暮らせるか不安はありませんでしたか？

住む場所探しはもちろん慎重に検討すべき重要なポイントですが、かぎられた時間と資金の中で、一〇〇パーセント希望どおりの土地が見つかることはまずありません。できないことはできないなりに相手のペースに合わせていくしかないと思っていました。小学校が徒歩で通える範囲にあったことはラッキーだったと思います。

——移住開拓期、しばらく妻子と離れ離れの時期がありましたが、たまに東京に戻り、小さな息子の顔を見る時はどんな気持ちだったのでしょう？

家族と離れているのはつらいし、あせりもあったけれど、しょうがない。家族の存在は「これからの暮らしをなんとかしなくては」と発奮する原動力になりました。自分一人だったら、同じことはできなかったと思う。

――一人で過ごしていた開拓期、日々どんなことを考えていましたか？

当時はまだ、現実的な生活が始まったというよりは、旅の延長のような時間でした。これからの毎月の収入のことなどを綿密に考えるというより、水の管理や薪《まき》の確保など、具体的な作業のイメージをして、つねに次にやることを考えていました。せっぱつまった状況だったとはいえ、自分がやりたくて始めたことだったので、不安よりも、ああしたい、こうしたい、というやる気のほうが勝っていたと思います。

――電気などもない開拓期で、一番困難だったことは？

重機などがいっさいない中での地ならし。借りた土地全体が、ほとんど雑木林のようになっていたため、家を建てるためにはまず木を切って、その根を抜いて地面をある程度平らにしなければなりませんでした。

あとは、休耕地だった田畑の整地。岩や石がごろごろしていて、拾っても拾ってもきりがない

ほどだった。結局、田畑から取り除いた大量の石は一輪車で家を建てる場所まで運んで、砕石《さいせき》代わりに生コンクリートに混ぜて建築資材として使いました。

――就農からのこの一〇年の間に、くじけそうになったことはありますか？

開墾や家づくり、農作業などは、昔の人たちが実際に機械を使わずやっていたこと。自分だけが特別なことはやっていないし、とくにくじけそうになったということはありません。

収入が少なかった初めの頃は、一時的な稲刈りのバイト（稲刈りを請け負うライスセンターの仕事の補佐）などはしましたが、借金をしたり、農業機械に大きく投資したりということは考えなかった。自分のできる範囲で仕事をしてきたと思います。

――農業に関する技術・知識はどのように身につけましたか？

最初に本格的に農業に関わったのは、結婚後にふたたび南米へ向かう資金をつくるために住みこみで働いた、群馬県嬬恋村《つまごい》でのキャベツの収穫の仕事でした。そこは有機栽培ではない、キャベツの単一栽培農家でしたが、高原キャベツ出荷の最盛期に四カ月弱、畑での収穫と出荷の手伝いをしました。

有機農業の技術は本を読んだり、先輩農家の人たちから話を聞く中で、少しずつ身につけていったように思います。中でも、田畑を貸してくださる地元のおじいさん、おばあさんには、本当にいろいろなことを教わりました。とくに田んぼについては、僕のやり方が田んぼの一角に種籾《たねもみ》を蒔《ま》き、苗をつくるという昔ながらの方法だったこともあって、年配の方はなつかしがって、あれこれと教えてくれました。

――農業のスタイルにおいて影響を受けた本や人物などはいますか？

特定の人のもとで研修をしたというわけではないので、直接影響を受けた人はこれといっていないけれど、土地を探している時に居候をさせてもらった、当時開校準備中だった農業学校・スワラジ学園（現スワラジ学園〈農的暮らし〉セミナーハウス）の敷地で農作業を手伝う中で、鶏の平飼《ひらが》い（鶏が地面の上を自由に動きまわれる飼育方法）のやり方や鍬《くわ》の扱いなどを知り、身についたことは多かったと思います。

本は技術書を含め、とにかくたくさん読みました。居候先のお宅の本棚には有機農業関係の本がたくさんあったので、正確なタイトルは覚えていませんが、時間の許すかぎり、かなりの本を読んだと思います。

――農業を仕事とする中で、一番大変なことはなんだと思いますか？

いろいろあるとは思うけれど、やはり、季節や自然にペースを合わせなくてはならないこと。さまざまな作業が重なったとしても、この時期にこの仕事をしなければならない、ということは先延ばしにできないし、作業の時期を自分では決められない。季節や天候、気温などに寄り添うしかありません。

――農作業を手伝ってくれる仲間たちはどんな存在ですか？手伝いに来た彼らと、どんなことを話しますか？

彼らはもう、いいところも悪いところも、ありのままのお互いでいられる家族のような存在です。とくに南米でともに旅した仲間とは、何か強い結びつき、縁のようなものを感じます。
山に移住してからは、一年のうちそう何回も会えるわけではないのですが、会えばすぐに、ずっと一緒にいたような感覚に戻るのは不思議なものです。お互いの近況や昔の思い出話に花が咲くこともあれば、誰かがギターを持ち出して音楽を奏で始めたり、まじめに次の日の作業について話す時もあります。

——妻が農業をやらないということについては、どう思っていましたか？

就農当初はいくらかは手伝ってもらおうと考えていたかもしれないけれど、当時は子どもも小さかったし、やはりお互いにやりたいことをやらないと人生つまらないので、本人に本当に実現したいことがあるのなら、それをやってほしいと思いました。
農園のことは、事務作業や通信の作成などでよく助けてもらっていると思う。野菜の出荷という作業の中でも、とくに個別の宅配野菜の出荷では、その時季の野菜や季節の情報を伝えることは、お客様と農園のコミュニケーションのためにも、とても重要なことだと思います。

——農との暮らしの一番の魅力は？

生きものと直接ふれあえること。有機農業の田んぼや畑にはたくさんの生きものがいて、それそれがみんなからまりあってつながっている。そんな自然の営みの中で、その一部となって生活できること。

自分の仕事を通じて食べものを提供でき、直接人の助けになるというところに、やりがいを感じます。

――育てていて楽しいと思う作物や好きな作業はなんですか？
また、嫌いな作業はありますか？

命を育てているということについてはどれも同じ。どの作物を育てるのも好きですが、やはり山からの湧き水を引いた棚田での米づくりに関しては、特別な思い入れがあるかもしれません。

どの作業も必要があってやることばかりなので、嫌いな作業というものもありません。

――農園の中で気に入っている場所があったら教えてください。

やはり田んぼでしょうか。カエルやトンボ、タガメやタイコウチ、ドジョウやタニシ、鴨や白サギなど、さまざまな生きものの命がつながりあっていることを、しみじみと感じる場所だから。

――お客さんからの言葉や反応でうれしかったこと、励みになったことなどがあれば教えてください。

一番うれしいこと、ありがたいことは、直接的な言葉で伝わってこなくても、飯田農園の宅配野菜を何年も取り続けてくださるお客様がいること。旬の野菜を収穫するということは、その季節にあるものを食べるということで、冬にトマトやナスはどうしてもお届けできません。

長く宅配野菜を利用してくださっている方は、時に不便を感じながらも、そういう事情を理解したうえで、僕たちと一緒にめぐりくる季節や自然の営みを感じてくださっている。それは本当にありがたいことで、そういう方々がいらっしゃるからこそ、よりいいものをお届けしていきたい、という気持ちをいつも強く持ち続けていけるのだと思います。

――八郷に移住したあとに、自分たち以外にも新規就農者がたくさんいることを知り、交流が始まったことについて、どのように感じていましたか？

同じような小さい子どもがいる同年代の家族や、自分以外にもセルフビルドで家を建てている家族もいて、心強いと思いました。とくに、新規就農して二〇年という先輩農家の存在は、続けていけばなんとかなる、という励みになりました。

就農当初はとくに、先輩農家や同期の農家仲間たちとの交流の中で、わからないことを教えてもらったり、知識や情報を交換したりして成長してこられました。

青年海外協力隊や農業学校出身者など、農との暮らしにはそれぞれさまざまな入口から入ってきているけれど、実際農家になったあとはそういう背景はあまり関係がなくなって、みんな同じような苦労をともにする仲間、同志のようなものだと思っています。

——今後、思い描いていることや夢はありますか？

家族仲良く子どもの成長を見守りながら生活を続けていくこと。家畜を飼うこと（鶏、ヤギ、馬など）。とくに馬を飼うことは、世話にとても手間がかかるわりに直接の収入にはつながらないので、子どもの成長がひと段落したあとの目標になるかもしれません。

——有機農業での就農をめざす人にメッセージをお願いします。

一口に有機農業といっても、いろいろな形態、生活スタイルがあります。まずは自分がどんな暮らしをしたいのか、具体的にイメージして（収入はある程度安定した額がきちんとほしいとか、現金収入は少なくても生活に必要なものを手づくりしていけるような時間を確保したい、子どもと過ごす時間を最優先にしたい、などなど）、そのうえで、その希望する生活スタイルや土地や気候にあった作物を栽培する農業をめざしていくことをおすすめします。

うまくいかないこともたくさんあり、時にはくじけそうになることもあるかもしれませんが、そういう時に僕は、田畑の作物たちがもつエネルギーを最大限に感じるようにしています。生物のもつエネルギーを感じると、その作物に自分が動かされていくような感じがします。次はこうしよう、ここをこうしたい、という力が自然と体を動かしていくのです。自分の注いだエネルギーが逆に自分の育てた作物からもっと強くなって返ってくる。その作物を食べたお客様の喜びがまた自分のところにエネルギーとなって返ってくる。そんなふうにほかの命とつながりあう、それが農業という仕事のもつ醍醐味だと僕は思います。

土づくりも種蒔きも収穫も、すべてが途切れることなく大きな輪の中でつながっている。農業という仕事はいろいろなものと自分が大きな輪でつながっていく、本当にやりがいのある仕事です。もちろん体を動かすことが大前提だし、収入の面など大変なことも多く、気軽にすすめられるような仕事ではないけれど、もし本当にやってみたいと思う気持ちがあるならば、腹を据えて頑張ってみてください。

III

八郷のあぐりびとアンケート

～農の未来を支える女性たち～

わたしたちの住むこの茨城県八郷《やさと》エリアには、飯田農園のほかにも、たくさんの新規就農有機農家が存在しています。

それぞれの有機農家の女性たちは、四季折々の農作業や、家事、育児をこなす忙しい毎日を送りながらも、「生きる力」に満ちたすこやかな輝きを放っているようにわたしには思えます。

彼女たちの多くは、街中での便利な暮らしを経験しながらも、農村部への移住を決意し、農業の世界へ飛びこんだ人たち。どうして彼女たちは体力的にも収入的にも大変な農との暮らしを選べたのだろう? 日々田畑に出るその毎日の中で、どんなことを思い、何を感じているのだろう?

そんな思いがもととなり、「農的暮らしからの情報発信」をテーマに取り組んでいたブログの中で、八郷の新規就農農家の女性陣にリレー方式でアンケートにお答えいただくというコーナーを設け、就農のきっかけや日々の様子について、日常生活の実際を支える女性の目線からお話をうかがいました。ここではその中から、一三軒のアンケートをご紹介します。

彼女たちの生き方、日々の暮らしの風景を通じて、農業という仕事を身近なものに感じていただけたら。そして、新規就農という道は、今ではやる気のある人ならば誰もが選べる道になっているということ、そしてすでにその道を選んで頑張っている人々がたくさんいるということを、多くの方に知っていただけたらと思います。

＊本アンケートは、飯田農園ブログ「パチャママ的あぐりびと通信」(http://blog.goo.ne.jp/pacyamama-ya/)内「八郷のあぐりびと・農園紹介コーナー!」掲載の文章をもとに加筆・訂正を行いました。なお、年齢、就農年数などは二〇一一年時点のものです。

1 ほりぐち農園・堀口志保さん

ウェブサイト●http://homepage1.nifty.com/muyan_farm/
ブログ●http://nousagyou.cocolog-nifty.com/blog/

飯田農園とほぼ同時期の就農で、以来なにかと交流を続けさせていただいているほりぐち農園は、互いに広い八郷のはしとはしという位置関係にあります。志保さんとわたし、また長男・長女同士も同じ年齢というのも不思議なご縁。ご主人とほぼ対等に仕事をこなすことで知られる志保さんは今や三児の母！ 畑仕事に子育てにとますます活躍中です。

Q1 家族構成、就農年数を教えてください。

家族構成は夫婦、長男（一一歳）、長女（八歳）、次女（三歳）の五人家族。上の子二人は飯田農園さんとまったく同じ年齢！ 就農一一年目。

Q2 就農のきっかけを教えてください。また、夫・妻どちら先導の就農ですか？

「百姓になる」と大学一年生の時に決めたのは夫で、その二年後くらいにわたしが「じゃ、一緒にやろうか」という感じで合意にいたりました。大学時代に「自分探し」（笑）をいろいろとする中で、百姓になりたいと思うようになりました。

当時、フィリピンの農村に「上総《かずさ》掘《ぼ》り」という井戸掘りの伝統技術を伝えようとしていたNGOに参加していたので、農村で暮らすということ、技術が身を助けるということが、コンクリートジャングルで育ったわたしたちには魅力的に映ったのだと思います。

Q3 就農の方法は？　また、転職組の方、構想から実行までにかかった時間は？

大学時代から夫婦で各地の農家におじゃまして、就農できる場所や農業のやり方について、少しずつ勉強しました。農文協図書館なんかにも二人でよく通いました。ＮＧＯの先輩がいた埼玉県小川町で、たまたま八郷から来ていたＧさんにお会いし、八郷に案内していただいたのは大学四年生の時だったと思います。その時、現在近所にお住まいのＡさんの畑を見せていただき、あまりのすばらしさに「うわっ！」と衝撃を受け、八郷で就農したいという気持ちが強くなりました。

それから夫は農業法人で、わたしはコンピューター関係の会社に就職して資金を貯めながら、具体的に就農できる方法を探していました。会社で二年半働き、Ａさんを三度目に訪ねた時、畑を紹介していただけるということと、近くに借家も見つかったので、「まずは農業研修」という常識を破って就農してしまいました（あとで後悔することになるのですが）。

Q4 実際の就農にあたってもっとも困難だった点はなんですか？

家があり、トイレがあり、風呂があり、電気があり、しかも八月に八郷に来て一〇月から「ＪＡやさと」を通じて生協に出荷できた、とくれば、全然「飯田農園誕生物語」的な物語の生まれる余地はないのですが、農業研修を受けていなかったので、今から思えばまったくとんちんかんなことばかりやって、作物が全然できなかったのが大変でした。農業技術はやっぱりある程度習得しておくべきですね。

Q5 就農前後の理想と現実のギャップはありますか?

今から思えばというか、当初はいまだに思い出したくないことの連続でした。とにかく気持ちにまったく余裕のない日々でした。農協出荷はどんな状況でも絶対に時間と数を厳守しないとほかの方々にご迷惑をおかけするので、作業が深夜に及ぶこともありました。「田舎でのびのび子育てがしたい!」と思っていたのに、実際は畑で赤ん坊をギャンギャン泣かせてほったらかしということもありました。近所の方に「こんな思いをさせるなら産まなければよかったのに!」と言われた時は、さすがに悲しかったです。

初めの理想はやっぱり「毎日自家製小麦でパンを焼く」くらいの、のん気な感じだったと思います。でも「自給自足の生活がしたい」というよりは「農業収入で生活していきたい」というのが理想だったので、その点では本当に最初からまわりの方々に助けられ、農協にもお世話になり、まがりなりにも一年目から野菜が販売できたことはありがたかったと思います。

Q6 一番好きな作業と一番嫌いな作業を教えてください。

好きな作業は、ニンジン畑の草取りと山の落ち葉さらい。どちらも無心になれる。嫌いな作業は、宅配便出荷日の夕方六時以降の追いこみ。心拍数がかなり上がっていると思います。

Q7 現在の暮らしの一番の醍醐味は?

会いたくない人に会わなくてよいこと(ちょっとネガティブすぎる?)。家族がそろって朝食と夕食を食べられること。自分が種からつくったものに、心底「おいしい!」と思えること。

Q8 今後就農をめざす方にメッセージを!

わたしが会社を「もうやめよう!」と思ったのは、八郷のGさんが送ってくれた、一緒に春に植えたジャガイモが大きく育った写真を見た時です。わたしがパソコンの前でコンビニで買ったお菓子を食べながら深夜残業をしている間に、ジャガイモはこんなに大きくなっている! だったら自分でジャガイモを植えて、それを食べて生きていけるんじゃないか、と思ったのです。

すごく安直な発想ですが、満員電車に揺られ、尊敬できない上司と火花を散らし、ヘトヘトになっている毎日をこれ以上続けることは絶対できないというネガティブな思いが、「だったらなんでもやれる。やってやる」という原動力になっていたと思います。だから「農業って大変ですよね?」と言われると、いつも「でも仕事ってみんな大変じゃない?」と答えています。

今の仕事で「どうしようかな……」と迷うなら、農業をやっても「やめようかな……」と迷うと思います。でも「もう絶対あとへは引かない」という気持ちがあるなら、ぜひ頑張ってみてください。

そして、いろいろなスタイルの農家を訪ねて、自分たちがどのような農業をめざすのかを探していくことが大切です。「農業を始める」ということはそこが終着点ではなく、「どのような農業をするのか」ということは日々わたしたちも問われることで、始めてから軌道修正したり、ほかの農家を訪ねたりすることはなかなか難しいと思います。そして、農業をやろうとしている女性の皆さん、農業は男と女が完全に平等に働ける職業ですよ。

2 柴田農園・柴田美奈さん

ブログ● http://blog.goo.ne.jp/kusabatake/

女性で農業を志す方も増えてきているという昨今、それでも女性一人で社会的な信用を得て家や土地を借りたり、農作業をこなしていくのはなかなか大変なもの。「パートナーができてから」と考える方も多いと思うのですが、この柴田農園の美奈さんは違いました。都会暮らしの高校時代にふと（!）農業を志し、「とにかく、やりたいことは始めるしかない!」と、高校卒業後、単身八郷に移住し、就農してしまったというツワモノです。

Q 家族構成、就農年数を教えてください。

佳幸（三五歳、就農六年目）、美奈（三〇歳、就農七年目）、はな（三歳）、晴《はる》（一歳）。

Q2 就農のきっかけを教えてください。また、夫・妻どちら先導の就農ですか？

きっかけは、高校生の時にふと「農業にしようかな」と思い、卒業後、本当に気軽に一カ月間の体験研修をさせていただいたことです。そこで出合った畑や家畜を通して知った有機物が循環する生活は、都会に住み、買って捨てるのが当たり前だった当時のわたしには、カルチャーショックでした。残飯が家畜の餌になり、肉や卵を生み、排泄物が土となり、野菜ができる――無駄のない循環が心地よく、農作業がとても楽しかったことが一番大きいと思います。

でも、当時は若輩で（今もですが）、すぐ就農！という気にはならず、その後ピースボートでの船旅や農業アルバイトをしたり、WWOOF（ウーフ／有機農家ボランティア）でファームステイをしたりしました。その中で「畑しかない！」という想いが固まってきたように思います。

夫もわたしもそれぞれ一人で農業を始めていましたが、就農後、縁あって一緒になりました。

Q3 就農の方法は？また、転職組の方、構想から実行までにかかった時間は？

有機農家で研修後、研修中に知り合った同じ町内の方の紹介で、畑をまず一枚借りることができました。二三歳の、機械も何ももっていないわたしのために、畑の仲介に入ってくれたそのご厚意には、今も本当に感謝しています。それから借家を決め、家の近くの畑をもう一枚借りました。

研修中は就農についてあまり深く思い描けていなかったので、現実的な構想から実行までにかかった時間は、研修後、三～四カ月だったと思います（大きくとらえれば高校卒業あたりから五年ともいえますが）。一人で始めるということで、こわさも心配もたくさんあり、でもとにかくほかにやりたいことはないのだから、まずは始めなくては！ というような勢いで、今思えば、無理やり進んだように思います。

Q4 実際の就農にあたって もっとも困難だった点はなんですか？

困難ということはなかったのですが、ちょうどよい家を見つけることができないと、なかなか先に進みづらいと思います。

Q5 就農前後の 理想と現実のギャップはありますか？

とくにないです。

Q6 一番好きな作業と 一番嫌いな作業を教えてください。

少しずついろいろな野菜をつくっているので、どの仕事もけっこう飽きずに楽しんでやっています。

一番好きなことは、春、育苗《いくびょう》ハウスの中で、すくすくと育つ苗たちを見まわること！ これから迎える季節への期待とたくさんのエネルギーをもらいます。

Q7 現在の暮らしの 一番の醍醐味は？

おいしい旬の野菜をたらふく食べられること。自分で時間を組み立てて暮らせること（季節や天気や畑に追い立てられることがたびたびではありますが）。そして、子育てと仕事をなんとか同時にこなせること。家族みんなが関われる畑があることは本当に豊かでしあわせです。

Q8 今後就農をめざす方にメッセージを！

やりたいことがあるのなら、行動に移さないのはもったいないと思います。まず、さまざまな農家さんなどに足を運び、体験し、自分に合った農業のスタイル・想いを見つけていくことが大事だと思います。

3 田中農園・ペトラン・田中久美子さん

ブログ● **http://tanakanouen.blog.ocn.ne.jp/blog/**

八郷に移住する前は東京のフレンチレストランで、メインからデザートまで、いろいろな料理を担当していたという久美子さん。現在は、ご主人とともに有機農産物を栽培しながら、「ペトラン」の名で天然酵母パンを焼き、料理レシピの考案も行うなど（著書に『お日さまごはん』文化出版局）、食に関して幅広い活動をされています。

さまざまな分野の技能をもった若い力が農業に参加することで、新しい風が吹きこみ、それがまた新しい農業のイメージをつくり出していく……。そんな動きが、これからの農業を多彩な魅力をもつ職業へと変えていくように思えて仕方がありません。

Q1 家族構成、就農年数を教えてください。

家族構成は、夫、わたし、長男（四歳）、長女（二歳）の四人と犬一匹です。夫は就農一〇年目、わたしは五年目です。

Q2 就農のきっかけを教えてください。また、夫・妻どちら先導の就農ですか？

八郷の有機農家に通いで一年間の研修をしていた時、先に一人で就農していた夫と出会い、研修後、結婚したことがきっかけです。なので、夫先導の就農です。

Q3 就農の方法は？ また、転職組の方、構想から実行までにかかった時間は？

東京のレストランで働いていた時、有機野菜に興味をもち、どのように野菜ができるのか知りたいという思いが募りました。そんな折、八郷の友人の家に遊びに来たことが縁となり、帰りの電車の中ですぐにこちらに来ようと決意。お店をやめました。それから知人の協力で八郷に家を借りると、有機農家にさっそく研修を申し込みました。研修後、夫と出会い、結婚。就農となりました。就農までにかかった時間は、一年八カ月くらいです。

Q4 実際の就農にあたってもっとも困難だった点はなんですか？

夫が先に就農していたので、とくにありません。

Q5 就農前後の理想と現実のギャップはありますか？

就農というより結婚・出産したことで理想と

現実のギャップが生まれました。就農前は、自分一人で将来お店をやりたいなどと理想だけを追いかけていましたが、結婚・出産後は自分だけの時間を確保するのが難しくなったり、金銭的な面やその他のことでも優先順位のバランスが取りづらくなりました。

就農して五年がたち、ようやくバランスも取れるようになり、素材から自分でつくる喜びを感じたり、多くのことを楽しめるようになりました！

Q6 一番好きな作業と一番嫌いな作業を教えてください。

旬の野菜を収穫する作業が好きです。嫌いな作業は、雨や風で倒れたおだがけ（稲を天日で乾燥させること）の稲をもう一度かけなおすなど、一度やった仕事を再度やらなくてはいけないことです。

Q7 現在の暮らしの一番の醍醐味は？

やはり自分たちで育てた野菜を中心に日々料理ができ、それを家族で一緒に食べられることです。また食にかぎらず、仕事が生活にまつわるさまざまなことにつながっており、自分たちで工夫して日々の暮らしを楽しむことができる点です。

Q8 今後就農をめざす方にメッセージを！

有機農業の世界は十人十色の就農方法や暮らし方がある楽しい世界だと思います。どんなスタイルでやりたいのかによって就農方法や準備は違ってくると思うので、自分がイメージする暮らしを、あせらずしっかりと自分なりに模索してみてください。

4 土《ど》れ味《み》農園・天《あま》池《いけ》由美さん

かつては服飾関係のお仕事をされていたという天池さんご夫妻。それまで築き上げてきたキャリアと都会暮らしを捨て、なぜ農業を選ばれたのでしょうか？　そこには、失うもののないところから始まった飯田農園とはまた別の種類のご苦労があったはず。「就農は、ある程度の年齢に達したからこそできたことでした。若い時期だったら、いきなりこういう生き方を選べたかどうか、わからなかった」と妻の由美さん。転機はなにも若い時代だけに訪れるわけではないのだということを、あらためて感じさせる言葉です。そんな背景をふまえて、由美さんのアンケートをどうぞ。

Q1 家族構成、就農年数を教えてください。

家族構成は、夫・昌二、わたし、長男（二四歳）、次男（二二歳）、三男（一九歳）、犬一匹です。就農一三年目に入りました。

Q2 就農のきっかけを教えてください。また、夫・妻どちら先導の就農ですか？

二〇数年前から、夫は「脱サラして就農したい」、わたしは「田舎で子育てがしたい。都会を脱出したい」と思うようになり、夫婦でことあるごとに話し合っているうちに「自給的な農のある暮らしをしよう」という気持ちが強くなりました。

夫は、会社勤めはある年齢までと決めていましたし、丸元淑生《まるもとよしお》さんの本をいろいろと読むうち、食に関心をもつようになっていました。わたしは高校時代に食品添加物の危険性を知り、食の安全に関心をもっていました。結婚を機に家族の健康が自分の手にゆだねられてからは、本来当たり前であるはずの安全でおいしい食材を入手することにとても苦労していました。

また、東京のコンクリートジャングルの中での子育てに不自然さを感じていたり、ヒートアイランド現象に苦しめられたり、大気が汚染されていたりで、都会生活に強いストレスを感じていました。そのような中で、自分や家族にとっての「豊かさとは何か」をいつも自問していました。そして、夫が自らの期限としていた年齢を迎えた時、さらには子ども三人が小学生であるうちがチャンスと、就農を決意しました。

Q3 就農の方法は？ また、転職組の方、構想から実行までにかかった時間は？

二〇年くらい前に就農先を東京周辺で考えていた時、八郷で新規就農し、有機農業を営んでいる方が紹介されているテレビ番組を夫婦で見ました。その背景に映し出された里山のある風景を二人とも一目で気に入り、さっそくその週末には町役場を訪れ、職員の方に一人の有機農業をされている方を紹介していただき、訪問しました。

その方のご好意でさまざまな有機農業のスタイルを見ることをすすめられ、何軒かの農家の連絡先と地図をいただいて、二～三軒訪ねました。その中の有機農家Aさんのご好意で、主人がいく度となく泊まりがけで農体験をさせていただいたり、夏休みなどには、家族で泊まりがけの農体験もさせていただきました。数年間、そうしていくうちに、自分たちの農的イメージをもつことができ、就農することを決めました。

そして就農の際、Aさんから、自分たちだけで始めるのではなく、一年間くらいはどっぷりと研修に専念することをすすめられました（まわり道のようでも、一〇年かかってわかることが一年で覚えられるから、と）。そして有機農家のUさんご夫婦にお願いして、夫婦で研修させていただくこととなりました（構想までの時間はたっぷりあったものの、いざ研修となるとあわただしい日々でした）。研修期間は、夫が一〇カ月、わたしは九カ月です。

急なお願いだったのにもかかわらず、Uさんの農園で研修させていただけたのは非常に幸運でした。研修期間は蓄えがどんどん減っていくばかりで不安でしたが、やはりこの研修で得たものははかり知れず、今でもこの時の教えが大きな力になっています。

Q4 実際の就農にあたってもっとも困難だった点はなんですか?

研修を終えたあと、定住すべき空き家もしくは土地と、耕作する畑がなかなか見つからなかったことです。初めに借りることのできた畑は、数本の枯れたリンゴの切り株と何十本ものサツキの木を取り除く作業から始まりました。夫がスコップで掘り起こし、わたしがそれを畑の隅に移動させる重労働だったのを思い出します（ジャガイモの植え付けまで一カ月を切っていたので、あせりながらの作業でした）。

その畑の周辺で、追加で五～六反歩《たんぶ》の畑を比較的早く借りられたのですが、住む場所が見つかるまでには結局九カ月くらいかかりました。さいわい、夫が研修当初から町のサッカー少年団のコーチをしていた関係で、好意的に土地を貸してくださる方が見つかったので、ありがたかったです。

Q5 就農前後の理想と現実のギャップはありますか？

あくせくせずに、のんびりと晴耕雨読の田舎暮らしを理想としていました。ところが、生活がかかっているのでそうはいきませんでした（笑）。また、夫婦仲良く軽トラで畑へ行くのを理想としていました。ところが、一日中一緒にいるとケンカになってしまい、無理でした（笑）。とくに就農当初は夫婦ゲンカが多発していました。二人とも無我夢中で精神的にゆとりがなく、それぞれの適性を見きわめることも、お互いを認め合うこともできていなかったからだと思います。

Q6 一番好きな作業と一番嫌いな作業を教えてください。

好きな作業はニンジン畑の草取りです（初期生育の遅いニンジンはけなげに思えるし、全部取り終えた時の畑の土の色と、ニンジンの葉の若葉色のコントラストは美しく、見るのがうれしい）。

苦手な作業は、ニンジンや大根の間引きです（降雨のタイミングでやっと発芽し、害虫にも負けないで育ちつつある苗を抜き取るのは忍びなく、ストレスを感じる)。

Q7 現在の暮らしの一番の醍醐味は?

この有機農業という仕事に誇りをもってのぞめること。豊かな自然が五感を研ぎ澄ませてくれること。深呼吸ができること。おいしい食事ができること。趣味の陶芸に没頭できること……などなど。今の生活に「真の豊かさ」を感じられることです。

Q8 今後就農をめざす方にメッセージを!

「農業収入だけで生活していけるのだろうか?」「資本金がなくて就農できるのだろうか?」「子どもの教育は都会のほうがいいのではないか?」など、不安はつきないと思います。

何か自分の転機が訪れた時、いつも思い出すことがあります。学生時代、旅先の京都で泊まった民宿のおばあさん(当時八五歳くらい)の言葉です。「人が生きていく中で一番必要なことは何かわかりますか? 人生で一番必要なこと、それは『勇気』だよ」と彼女は言いました。おばあさんの生き様を語りながらの説得力のある言葉で、心に強く残りました。

都会を離れて田舎で百姓暮らしをすることを友人知人に話した時、「うらやましいけれど、わたしにはそんな勇気がない」と何人かの人に言われたことがあります。いろいろな面で工夫は必要かと思いますが、最終的には「勇気が出せるか」だと思います。

5 あべ農園・阿部佳子《けいこ》さん

ウェブサイト● http://abenouen.web.fc2.com/

ご主人の豊さんとは、わたしが笠間で焼きもの修業をしていた頃に組んでいたバンド活動を通じて知り合って以来のお付き合い。

就農以前からそんなご縁のあったあべ農園ですが、周囲の若い農家の信望は厚く、後輩農家の方いわく、「阿部さんはいつもまわりをよく見てくれて、自分の農業だけでなく、周囲のことを考えてくれる」。そんなふうに後輩たちから尊敬され、慕われるあべ農園で、豊さんとともに長年、有機農業に取り組んでこられた佳子さん。「初めから農業一直線で、迷いなく取り組んでいらしたのだろうなあ」と想像しながら直筆アンケートに目を通すと、そこにはわたしの予想を見事に裏切るようなお答えが……。自由でおおらかな感性に心震えました。

Q1 家族構成、就農年数を教えてください。

豊（広島出身、五一歳）、佳子（北海道出身、五一歳）、長女・真咲《みさき》（東京在住、二五歳）、長男・壮太郎（沖縄在住、二二歳）。就農して二三年目！

Q2 就農のきっかけを教えてください。また、夫・妻どちら先導の就農ですか？

夫先導。進学を機に北海道にやってきた夫にとって、農業は憧れだったと思う。でも、イナカ育ちのわたしには、そう簡単に承服できる夢ではなかった。その頃、まわりに新規就農者がいなかったので、一から始める農業のイメージがわかなかったのも大きい。水戸に来て、八郷から野菜を宅配でいただくうちに数軒の有機農家と交流ができ、だんだんにわたしの気持ちも傾いていった。まず三年間、精いっぱいやってみてから答えを出そうと決めた。やってみなくちゃわからないことがたくさんあるからね。

Q3 就農の方法は？ また、転職組の方、構想から実行までにかかった時間は？

その頃知り合った魚住農園で夫は九カ月間研修。わたしは長男出産のため途中でリタイア。夫がボンヤリ夢見た頃から四年たっていました。

Q4 実際の就農にあたってもっとも困難だった点はなんですか？

このわたしが一歩踏み出すまでが一番困難だったかもね。なにせ牛歩戦術してましたから。

Q5 就農前後の理想と現実のギャップはありますか？

就農がどういうものか、始めるまで想像をたくましくしてきたので、マイナスのギャップはあまりない。むしろ、思った以上の快適さ！

就農当時三歳だった娘と、研修中に産まれた息子を二人で育てた実感がある。「何を迷っていたのかなあ」と振り返ってみて、思うよ。これまた、やってみなくちゃわからないことだった。

Q6 一番好きな作業と一番嫌いな作業を教えてください。

外で体を動かすのは基本的に好き。伝票の整理は大キライ。

Q7 現在の暮らしの一番の醍醐味は？

このうえなく美しいものが山ほど見られる。朝露の降りたクモの巣はとくに美しい。踏みこんだばかりの温床は、その上で寝てしまいたいほど心が落ち着く。綿の実、オクラの花、ゴーヤの種、どれもこれも自然の造詣《ぞうけい》は見事だよ。わたしたちの働く姿を含めて、それらを子どもに体験させられたことが何よりうれしい。

Q8 今後就農をめざす方にメッセージを！

技術・体力はそのうちつく。土地・家屋はそのうち見つかる。資金も本気だったら少しは貯めよう！　何事も「情熱の分だけ前に進む」と思っています。夫の情熱にあてられて、うっかりわたしが一歩前に踏み出したように、本気ならばまわりの人間をも巻きこんで、道は拓けていくはずです。

お一人の場合は、本人の意思一つでやればよろし。でも、夫婦の場合、二人は別の人格。話し合わなければ、わからないこと、次に進めないことが山ほどあります。仕事・家事・育児が入り乱れて、二四時間、二人はほとんど一緒。かなりディープです。一触即発の状態にたびたび陥ります。

年をとると人間丸くなる、というのも嘘です。物忘れが加わって、言った言わないの応酬も始まります。すると仕事が楽しくない。同年代の同じ立場の女性と話すと、決まってこの部分のイライラでかなり盛り上がるので、やはり、ここが新規就農を成功させる重要なポイントと確信しました！

結論。八郷で始めたのは農業だけれど、それとともに家族の新しい生活も始まったように思います。そして、わたしはおいしいパンも食べたいし、気に入った茶碗でご飯も食べたい。古来、農の合間に手先の器用な人が、土地に眠るたくさんの素材を活かし、職を得ていったように、八郷は農にかぎらず、物を生み出すいろんな可能性のある場所でもありました。あなたはあなたの適性を活かし、望むかたちの暮らしを耕していってください。「情熱の分だけ前に進む！」。

6 宮内農園・宮内三保子さん

ブログ● http://miyauchino.exblog.jp/

わたしにとって三保子さんは気になる女性でした。というのは、都会でのまったく違う業種から、結婚を機に、パートナーの営む農との暮らしに飛びこんだという、わたしと同様、八郷では少しめずらしいタイプの存在だったからです。農の暮らしを強い気持ちで望んだわけではないまま、決して楽ではない生活環境に身を置くということに、わたしはかつての自分の思いを重ね、「三保子さんはどんな思いで日々を暮らしているのだろう」と気がかりでした。

でも、初めから一〇〇パーセントの気持ちでなくてもいい、パートナーと理解し合いながら、ゆっくりと自分たちのしあわせをかたちづくっていく。そんなやり方があってもいいのではないかと、今のわたしは思います。

Q1 家族構成、就農年数を教えてください。

家族構成は、農園長の夫(四〇歳)、娘(六歳)、息子(四歳)とわたし(四二歳)の四人家族です。就農年数は、夫は九年、わたしは七年です。

Q2 就農のきっかけを教えてください。また、夫・妻どちら先導の就農ですか?

結婚です。八郷ですすでに就農していた夫と結婚して、農業を始めました。

Q3 就農の方法は? また、転職組の方、構想から実行までにかかった時間は?

結婚前は農業とはまったく関係のない仕事をしていて、農業を始めるとは思ってもみませんでした。大学の頃から「食料自給率の高い国で暮らしたい」という思いがあり、大学卒業後、中南米で仕事をしていた時期がありましたので、産業としての農業に興味がなかったわけではありません。でも、地方都市(中途半端な田舎です)で育ったわたしは、職業としての農業に憧れを抱いたことはありませんでした。そのため、就農していた夫と結婚を決める際、とても悩みました。結婚して仕事をやめ、住んでいるところを離れて八郷に移り住み、そして自分も夫と一緒に農業をやるのか。

一番の心配は「専業農家で収入は大丈夫なのか」ということでした。いろいろ考えましたが、「農業で一旗あげてやろう」「収入が低くてやっていけないのなら、わたしがほかの仕事をして稼げばいいや」と思い、結婚することと農業に就くことを決めました。わたしの場合、「就農」より「農業に転職」という言葉のほうが合っている気がします。

Q4 実際の就農にあたってもっとも困難だった点はなんですか？

畑探し、家探しなどの困難は、夫がすでに乗り越えてくれていたので、それほど困難はありませんでした。

Q5 就農前後の理想と現実のギャップはありますか？

家族みんなでおしゃべりしながら野良仕事、というイメージをもっていましたが、現実は、一人で黙々と野菜を袋につめるような地味な（?）作業が多い点です。

Q6 一番好きな作業と一番嫌いな作業を教えてください。

気持ちにゆとりのある時は、どんな作業も楽しく感じます。反対に、気持ちにゆとりのない時は、どんな作業もおもしろくありません。そして、そのゆとりは夫婦で協力してつくり出すものだと思います。

Q7 現在の暮らしの一番の醍醐味は？

仕事としての農業の一番の醍醐味は、戸別宅配のお客様から直接「声」が聞けること。生活の中での一番の醍醐味は、より豊かに、より楽しく、よりおいしく暮らしていくために、自分たちでいろいろな工夫ができるところ。

Q8 今後就農をめざす方にメッセージを！

わたしのように、もともと農業を志していたわけではないのに、ご主人または恋人と一緒に農業を始めることになった方へ（または迷っている方へ）。

農業というと、「田舎でのんびりスローライフ」というイメージがあるかもしれませんが、専業農家で生計を立て、子どもを育てていくことは、そんなにやさしいことではありません。「定年後にのんびり田舎暮らし」とは違います。「なんとかなるさ」と思っているだけでは、なんともなりません。就農にあたって女性に必要なのは、「どんな状況になってもなんとかするぞ」というたくましさだと思います（実際、八郷の有機農家の女性陣は、皆さん種類は違うけれども、それぞれたくましいと思います）。そして、そんなたくましさがあれば大丈夫。きっとなんとかできます。

7 あらき農園・荒木清美さん

ウェブサイト● http://www7b.biglobe.ne.jp/~arakinouen/
ブログ● http://arakinouen.at.webry.info/

あらき農園は、ご夫婦に四人のお子さんという、とってもにぎやかな大家族。清美さんはご主人と同じようによく畑仕事に励むという働き者で有名です。そして、この荒木夫妻の就農で印象的なのは、若さゆえの「迷いがない」就農をされたということ。「初めから大変なのは当たり前だと思っていたから、とくにつらいことってなかったんですよね」とさらりと語る清美さんを見ていると、こんな若者が増えていったら日本の未来は明るいなあ、と思わずにはいられません。

Q1 家族構成、就農年数を教えてください。

夫・亮太郎（三五歳）、妻・清美（三三五歳）、長女・有柚《うゆう》（八歳）、次女・野乃《のの》（六歳）、長男・千太郎（四歳）、三女・和《なごみ》（二歳）。今年で就農九年目。

Q2 就農のきっかけを教えてください。また、夫・妻どちら先導の就農ですか？

農業系の大学で主人と出会い、その頃から将来は農業をしたいと思っていました。働いている時に一五〇坪の畑を借りて、実際に自分の手で野菜づくりを始めたことがきっかけとなり、有機農業に興味をもちました。有機農業の「有」の字も知らず、知識も経験もないまま、農業がしたい、安全でおいしい野菜がつくりたいという気持ちだけで就農をめざしました。

Q3 就農の方法は？ また、転職組の方、構想から実行までにかかった時間は？

大学卒業後、それぞれ就職してお金を貯めつつ自分たちの理想の就農地を求め、関東、甲信越を中心に探していました。そんな折、つくばの改良普及センターの方の紹介でＪＡやさとの新規就農研修制度を知り、二〇〇一年度の第三期研修生になりました。

大学卒業から就農までは三年かかりました。主人とは結婚する前から、いろいろな自治体に一緒に足を運びましたが、あまり相手にしてもらえませんでした。結婚してからのほうが、どこへ相談に行ってもよい返答をもらえることが多かったです。

Q4 実際の就農にあたって もっとも困難だった点はなんですか？

有機農業ができる理想の就農地にめぐり合うまでが、大変でした。八郷を初めて訪れた時から主人は一目ぼれ状態。自分たちが農業をするのは「ここしかない」と即決断していました。

その後は、野菜を出荷の時期に合わせてうまくつくれないとか、まったく育たなかったとか、失敗はたくさんありましたが、まわりの農家の皆さんに助けていただきながら、なんとか二年間の研修を終え、独立することができました。毎日が無我夢中で、一年一年があっというまでした。

就農後一番の困難は、主人が病気になったこと。自分たちがめざしていた有畜複合農業のかたちができ始め、子牛から育てた乳牛も乳を出し、夢がかない始めた時だったので、二〇〇羽いた鶏などの家畜をすべて手放し、出荷もすべてやめて、畑が荒れていくのを眺めている日々はつらかったですね。いくら自分たちのやりたいこと、好きなこととはいえ、限界を超えてはいけませんでした。反省。

Q5 就農前後の 理想と現実のギャップはありますか？

自分でやりたくて始めた仕事なので、あまりギャップは感じていません。理想どおりにいかなければ、理想に近づけるよう努力し、工夫すればいいいと思っています。

Q6 一番好きな作業と一番嫌いな作業を教えてください。

好きな作業は、草取り（あの達成感がたまりません）と種蒔《ま》き（どんな野菜に育ってくれるかワクワクします）。嫌いな作業は、家事全般。今のわたしの目標は、主婦力を上げること。今まで畑仕事にばかり夢中になっていたので、これからはもう少し主婦業に力を注ぎたいです。

Q7 現在の暮らしの一番の醍醐味は？

日々の食べものを自分たちでつくれること。四季や、自然をいつも感じられること。自分たちの生活スタイルを思いのままに築いていけること。主人も一緒に、子育てができること（うちの場合、わたしより主人のほうが子どもの面倒を見てくれています）。

Q8 今後就農をめざす方にメッセージを！

農業は畑仕事が好きなら誰でも、いつでも始められる仕事だと思います（もちろん、ある程度の資金は必要ですが）。どんな農業をしたいのか、ある程度の方向付けは必要だと思いますが、農業はとにかく奥が深い仕事。やっているうちに、どんどん自分のめざしたい農業の姿が見えてくるなんてことも（うちがそうです）。

わたしたちにとっては、有機農業が盛んで、たくさんのさまざまな有機農家さんがいるこの地を選んだことも、つくづくよかったと思っています。主人が体調を崩し、療養のため実家に二カ月ほど帰省していた時も、畑仕事だけでなく、精神的にも皆さんに支えていただきました。感謝してもしきれないぐらいです。就農地＝職場であり、生活の場になるので、就農する場所だけはあせらず、じっくり、自分に合った土地を探したほうがいいと思います。

8 杉山農園・杉山扶佐子さん

就農初期から親しくお付き合いさせていただいてきた杉山農園は、飯田農園と同じく、山がちで生活も不便な八郷北部に位置しており、わが家と同等、いえそれ以上の（!?）「秘境系農園」です。わが家のバタバタだった移住・就農初期、同じような開拓系先輩住民である杉山家の存在はどれほど心強かったことか！

開拓者のような野性味あふれる生活をしているというのに、生来の育ちのよさみたいなものがにじみ出ているような、どこか落ち着いた雰囲気をおもちのご夫婦です。

Q1 家族構成、就農年数を教えてください。

家族構成は、わたし（四五歳）、夫・岳（四六歳）、長女・りん（一〇歳）、長男・護（五歳）、犬・ぱる（九歳）。就農年数は一四年目に突入！

Q2 就農のきっかけを教えてください。また、夫・妻どちら先導の就農ですか？

夫先導。自分で食べるものの一部くらいは自分で育てるような暮らしがしたいと思っていたわたしですが、農業、つまり作物を育て、売って、その収入で生活を支えるなんてことができるとは、まったく考えていませんでした。ですが、その頃農業志望で経験も多少つんできた岳と出会い、二人で農業を始めることに。

Q3 就農の方法は？ また、転職組の方、構想から実行までにかかった時間は？

就農する土地を決めたとたんに、種蒔きをして自家用野菜をつくり始めました。でも、収入の中心は採卵養鶏でと決めていたので、鶏舎を建て、ひなが卵を産み始めるまでの二年間は無収入でした。

Q4 実際の就農にあたってもっとも困難だった点はなんですか？

困難……ってあんまりなかったかなあ。場所をなかなか決められなかったことぐらい。岳は山が好きで「ふところの深い山のそばがよい」と山形県あたり、わたしは「どうせ貧乏するなら暖かい土地がよい」と熊本県あたり、二人でうろうろしました。

Q5 就農前後の理想と現実のギャップはありますか？

ありません。就農前、あまり考えていなかったから。

Q6 一番好きな作業と一番嫌いな作業を教えてください。

好きな作業は、ポットやセルトレイにする種蒔き。「どんなふうに育つかな」「いっぱい実るかな」と楽しみ。嫌いな作業のほうは、わたしは毎日卵出荷を担当しているので、ほとんど岳が一人でやっているのですが、田んぼの草取りや真夏のジャガイモ掘りはつらかろう、と思います。

Q7 現在の暮らしの一番の醍醐味は?

いろいろ制限はあっても一日の仕事の内容やスケジュールを自分で決められること。

Q8 今後就農をめざす方にメッセージを!

農業といってもかたちはいろいろ。ガンガン出荷して稼ぐぞ! というタイプもあれば自給自足的な生活をめざす人もいるでしょう。どんな暮らしがしたいのか、ある程度イメージしてそれを基準にしていくとよいと思いますよ。

9 鹿苑《ろくおん》農場・白土《しらと》陽子さん

鹿苑農場の筧《かけい》次郎さん、白土陽子さんご夫妻は、八郷への移住・就農の先駆け時代から有機農業を実践してこられた大先輩。ご夫婦で『百姓入門』(新泉社)、筧さんの単著で『百姓暮らしの思想』（同）といった本の執筆もされている、農的な暮らしにまつわる実践者であり、思想家でもあるというご夫婦です。長く有機農業の世界に生きてこられた方のご意見をぜひお聞きしたい、という思いでアンケートをお願いしました。

『百姓入門』の内容の前半は、これまでの農の歴史や位置づけ、自給自足の暮らしにまつわる考察など、後半は季節の農作業の実際についてや、食のこと、農的暮らしにまつわるあれこれが記されています。暮らし方や環境との共存を考えるうえで貴重な指南書といえる本です。これから本気で有機農業をめざす方は、ぜひ一度お読みになることをおすすめします。

Q1 家族構成、就農年数を教えてください。

一九八三年から二八年間、八郷の地で鹿苑農場を営んできました。家族は、筧次郎、白玉陽子、ともに茨城出身で六三歳になります。

Q2 就農のきっかけを教えてください。また、夫・妻どちら先導の就農ですか？

先に農業を始めていた夫が、水戸の寺で「生活を考える集い」をやっていたのに参加し、それがきっかけで農業をやることになりました。集いの仲間も援農に通い、周囲の農家も参加する会を組織し、野菜の提携を同時に開始しました。

Q3 就農の方法は？　また、転職組の方、構想から実行までにかかった時間は？

夫が先にやっていましたが、就農というより自給自足的な暮らしを始めるにあたって野菜を売るようになったと思います。農業は夫の主導のもとに、まわりの農家の方が先生で、お百姓さんとのお付き合いから、その方々の田畑を見せてもらいながら試行し、育んできました。

Q4 実際の就農にあたって もっとも困難だった点はなんですか？

困難はとくにありませんでしたが、「野菜を売る」ことについて時おり考えこむことがありました。

Q5 就農前後の 理想と現実のギャップはありますか？

衣・食・住ともに自給自足の暮らしをめざすことは現代ではほんとに難しい。時間も道具も技もない。買うものは調味料くらいでいろいろなものをつくっていく暮らししかないと。

Q6 一番好きな作業と 一番嫌いな作業を教えてください。

農作業で「嫌い」と断定できるものは今のところありません。家畜・鶏の世話も嫌いではありません。とくに手作業は好きです。苦手なのは事務処理や電話をかけること。会を始めた頃の通信は手書きで、野菜代金は現金支払いでした。

Q7 現在の暮らしの 一番の醍醐味は？

背負い籠を背負ってヤギを引いて畑を行ったこともありますが、いろんな風景や物に出合い、季節の移ろいを感じることができます。そして鎌一つ、鍬《くわ》一つで田畑を整えていく喜び。冬の霜柱を踏んで、凍《い》てついた茎のみずみずしい京菜を収穫する厳しさもいいです。お米が収穫されれば一年間どうにか食べていくことができる幸福感。目いっぱい働いて、疲れ、そしておいしいお野菜をいただける満足感。すべてに生かされている感謝。このような思いにいたらせてくれる生き方はほかにないと思っています。

Q8 今後就農をめざす方にメッセージを！

わたしたちの祖先が営んできた伝統的な暮らしを受け継いでいく一番の生き方が農業だと思います。農業とともにあった行事やハレの日やケの日のその時々の行事食などとともに、豊かな精神も過去の人々から学んでいってほしいなどと考えますが、有機農業は広い入口があるので、それぞれのポリシーに合った独自の農業を組み立てることが可能でしょう。一年に一度しか経験できないこともあるので、失敗も貴重です。失敗しなければ発見もありません。失敗をおそれず、失敗を糧にして一歩一歩着実に進んでください。

10 むとう農園・武藤朝子さん

かつて若者が捨てていった、農の生活。そこへ自らの意思で飛びこんでくる若者たちがいます。もはや「一部の変わり者」という言葉では簡単にくれないほど多彩な人々が就農し、農との暮らしを実現させている現実が、この八郷にはあります。むとう農園は、ＪＡやさとの有機農業就農研修制度「ゆめファームやさと」から独立した、そんな若き農園の一つ。若い人が何を思い、移住し、就農するのか。そこにはきっと、新しい豊かさとしあわせのかたちがあるような気がしています。

Q1 家族構成、就農年数を教えてください。

家族構成は、夫・大悟（三四歳）、妻・朝子（三六歳）、子・大晴《たいせい》（五歳）、大和《やまと》（一歳）。就農して六年目を迎えます。

Q2 就農のきっかけを教えてください。また、夫・妻どちら先導の就農ですか？

夫婦ともに独身時代に茨城県の農業実践学園という学校に社会人枠で在籍しており、わたしは学校から一度、ＪＡやさとの研修制度の見学に来たことがありました。当時は独身だったため、既婚が条件のこの制度に応募はしませんでしたが、八郷の環境のよさとＪＡの熱心さにかなり共感を覚えていました。

その後、大悟が卒業後に群馬の農業法人で働き、結婚してわたしも同じ法人でしばらく働いたのですが、農業をやるなら人の下ではなく自分たちでやってみたい、という思いがだんだん強くなり、二人で八郷に見学に来たのが就農のきっかけでした。

夫婦ともに独立して農業をやりたいという気持ちがあったので、どちらが先導ということもなかったのですが、じっくり考える慎重派の大悟を直情タイプのわたしが押せ押せで来た、といえなくもない（？）かもしれません。

Q3 就農の方法は？　また、転職組の方、構想から実行までにかかった時間は？

ＪＡやさとの研修制度を利用して。大悟が法人で働き始めて一年の時に見学、応募し、三〜四カ月後には移住してきました。二人ともいずれは独立と考えていたので、学校に行っていた頃からすでに準備期間だったのかもしれませんが。

Q4 実際の就農にあたってもっとも困難だった点はなんですか？

学校や法人である程度基本的なことは学んだつもりだったのですが、実際にやってみると、苗がうまく育たない、虫に食われる、トンネルがうまく張れない、などなどわからないことだらけで、技術や知識がほとんど身についていないことがわかり、基本的な有機のやり方を一から知らねばならなかったこと。

また、生活面では、研修後に自分たちで始めるための畑や一軒家を借りる際、希望に合ったところが初めはなかなかなかったので苦労しました。

Q5 就農前後の理想と現実のギャップはありますか？

現在は農協を通して生協に出荷しているのですが、出荷先が安定しているという利点がある一方、計画数どおりに出すことが大前提となるので、子どもが生まれてすぐの時などは出荷に追われて大変でした。テレビや雑誌でよく見る新規の有機農家のようなのんびりした雰囲気ばかりではないんだな、と思いました。

子どもとずっと一緒にいたいけれど、子どもに不自由な思いをさせずに育てていくためにはしっかりした収入を得なければならず、早くから保育園にいれなければならなかったことも、母親としてはさびしかったです。もちろんご家庭によっていろいろなやり方があるので、子育てと農業を一緒にうまくやっていくことも十分可能なのでしょうが。

Q6 一番好きな作業と一番嫌いな作業を教えてください。

好きな作業は、トマトやナスなどの側枝《そくし》かき（主枝以外の不要な枝を取り除く）や誘引（枝をひもやテープでのばしたい方向に導く）です。ぼさぼさだった枝がきれいになって、散髪したてのようになるのが気持ちいいんです。

嫌いな作業は、雨の日の泥だらけの葉物の袋づめと、ビニールマルチ（水分保持や雑草繁茂を防止するための地面を覆うビニール）をはがすなどの畑の片付けです。片付けのあとは鼻の中が真っ黒です。

Q7 現在の暮らしの一番の醍醐味は？

家族が一緒にいられることです。保育園が休みの週末に家族みんなで畑にいられる時のしあわせはたまりません。よく晴れた暖かい日に緑の畑にいると、自分も子どもにかえって、走りまわったり転げまわったりしたくなります（実際していますが……）。

また、子どもにアトピーと食物アレルギーがあるのですが、自分たちでつくった野菜を安心してたくさん食べさせてあげられることもうれしいですね。今は野菜をいくらでも食べられる生活なので、もしわたしたちが都会に住んでいたらと思うと、食費（とくに野菜代）がいくらかかるんだろうと考えてしまい、ちょっとこわいですね。

Q8 今後就農をめざす方にメッセージを！

機械や資材を手に入れるためにも、最初の生活資金にも、お金は貯めておいたほうがいいと思います。お金とやる気と周囲の温かい先輩方に恵まれれば、失敗しながらでもなんとかやっていけるでしょう。

あとはやはりよくいわれるように、同じ志をもつパートナーがいればなおよいかもしれませんね。わたしは独身の時から農業をしたいと考えていましたが、いろいろなところに見学、研修に行き、一人ではこのさびしさに打ち勝てないとしみじみ思ったのでした。もちろん女性一人で立派にやっていらっしゃる方も多いと思いますが、農業はけっこう孤独な作業なので、人一倍さびしがりだったわたしにはとても無理だったのです。

また、農業は二人でやると効率が倍以上違う、ともよくいわれますが、本当にそのとおりだと思います。パートナーをこれから説得しようとされている方、どうぞ頑張ってください！

11 くわはら農園・桑原治子《はるこ》さん

くわはら農園も、ＪＡやさとの研修制度で独立を果たした若き農業者です。ご主人は元料理人で単身赴任をしていた時期があったことから、「家族が一緒にいられる仕事をしたい」と、治子さん先導で就農の道を選ばれました。

畑での作業と同じくらい、人と人のつながりや情報のやりとり、顔の見える関係が大切な要素の一つである有機農業。定期的に東京の「アースデイマーケット」に出店しているとのことで、お祭りに出店することの多いわたしたちも、時にはお客様と直接言葉を交わし、農業の現場からメッセージを伝えることも、とても大切な有機の役割なのではないかなあと思っています。

ウェブサイト● http://www.geocities.jp/kuwaharanouen/
ブログ● http://geocities.yahoo.co.jp/gl/kuwaharanouen

Q1 家族構成、就農年数を教えてください。

主人・広明（四五歳）とわたし（三六歳）と長女・ひより（八歳）の三人家族です。就農して七年目です。

Q2 就農のきっかけを教えてください。また、夫・妻どちら先導の就農ですか？

子どもが生まれてから食べもののことを考えるようになり、自分で無農薬の野菜をつくれたらいいなあと思っていたのと、主人が単身赴任（調理師でした）で一年くらい離れて暮らしていたので、家族一緒に暮らしたいと考えていたところ、雑誌に新規就農の募集があるのを見て、やってみよう！　と思ったのがきっかけです。

Q3 就農の方法は？　また、転職組の方、構想から実行までにかかった時間は？

JAやさとの新規就農制度を利用して、二年間の研修ののち農地を借りて就農しました。

Q4 実際の就農にあたってもっとも困難だった点はなんですか？

農地と住居を見つけるまでは苦労しました。運よく見つかってよかったと思っています。

Q5 就農前後の理想と現実のギャップはありますか？

就農前は「スローライフ！」と思っていましたが、実際は想像以上に忙しく、毎日が目まぐるしく過ぎていってゆっくりする暇がない時に「なんか違う！」と感じることはあります。でも、畑にいると癒されるし楽しいです。

Q6 一番好きな作業と一番嫌いな作業を教えてください。

好きな作業は袋づめ（箱づめ）と販売です。嫌いな作業は畑の後片付けです。

Q7 現在の暮らしの一番の醍醐味は？

食べもの（野菜）がいつもあること！　すごく心強いです。安心です（笑）。やっぱり、食べるものがないと人間生きていけないし、それをつくっているというのが一番の醍醐味です。天候に左右されるし、種を蒔いてもうまく発芽しなかったり、せっかくできても虫に食われてしまったりもしますが、「なんでそうなったのか?」と考えたり「次はこうしてみよう」と工夫したりできるので、野菜づくりは飽きません。あと、家族そろって食事ができることです。

Q8 今後就農をめざす方にメッセージを!

八郷エリアは有機農家が多く、まったく知識のないわたしたちでも、教えていただきながらなんとか出荷できるまでになりました。研修制度があり、とても恵まれていたと思います。住居、畑、販売先があればなんとかやっていけます。それを確保するのが難しいのですが、地元の方々との交流を深めていけば、そこからご縁が生まれて畑や住まいも見つかっていくような気がします。

就農前にくらべて収入は減りましたが、食べもの(野菜)がいつもそばにあるので、暮らしは豊かになったように思います。就農してよかったと思っているので、皆さんも頑張ってください!

⑫ いわさき菜園・岩崎啓子《ひろこ》さん

ご主人は以前、飲食業界で働いていましたが、勤務時間の関係で昼夜が逆転するような生活をしていらしたそうです。当時、啓子さんは幼いお子さんたちの子育て真っ最中。子どもが活動する日中にご主人が休まなくてはならない暮らしは、とても大変だったといいます。「家族がともに同じ時間を暮らしたい」。いわさき菜園の就農には、そんな「家族で生きる」ということを大切に思う気持ちがこめられています。JAの研修制度で独立を果たした就農四年目から、啓子さんは農作業の合間をぬって週三回ほど英会話教室を開かれるなど、ご自身の技能を活かして精力的に活動されています。

Q1 家族構成、就農年数を教えてください。

夫・哲史《てつじ》（三八歳）、妻・啓子（三九歳）、長男（一二歳）、次男（一〇歳）、長女（八歳）の五人です。ほかに雑種犬二匹、猫一匹。就農して八年目。

Q2 就農のきっかけを教えてください。また、夫・妻どちら先導の就農ですか？

食べものに不安を感じていた夫が、農業から環境問題を解決していけると思ったため（日本の環境をよくしていく職業は農業しかないと感じていました）。夫は以前サービス業で、家にいる時間がほとんどなく（しかも昼夜逆転の仕事でした）、家族の時間を増やしたかったのと、夫婦で子どもを育てたかった。

Q3 就農の方法は？ また、転職組の方、構想から実行までにかかった時間は？

インターネットで八郷に研修制度があることを知り、応募。きちんと決まる前に貸家を探し、三人目がおなかにいる間に移住（保育所に確実にお願いしたかったので）。就農しようかと迷いだしてから一年くらいでしょうか。決めてからは早かったです。

Q4 実際の就農にあたって　もっとも困難だった点はなんですか？

研修終了の時点で畑も家も機械もすべてゼロからのスタートでしたので、農家としての基盤づくりが大変でした。協力していただいたまわりのすべての方々、とくに同じ新規就農の方々の温かい励ましに感謝します。

Q5 就農前後の　理想と現実のギャップはありますか？

家族の時間は増え、夫婦の会話は何倍にもなりましたが、畑仕事が忙しく、思ったより子どもにゆっくり接してあげられない。目の前が畑とまではいきませんが、だんだんと家の近くに畑を集めたいです。

Q6 一番好きな作業と　一番嫌いな作業を教えてください。

好きな作業は夫婦そろっての袋づめ（会話がはずむので）。一人だとラジオ相手に。嫌いな作業は片付け。とくに雑草に覆われたマルチはがしは泣けてきます。

Q7 現在の暮らしの　一番の醍醐味は？

就農四年目に、週三回ほど英会話教室を始めました。畑と家事、育児、英会話の〝四立〟はとても忙しいものの、つねに人に喜んでもらえるよう最大限の努力をして、そのためにどうしていくべきかを夫婦で語り合えること、未来を自分たちで自由に描き、それを一つ一つ実現させていくことに、とても生きがいを感じます。

Q8 今後就農をめざす方にメッセージを！

農業とは野菜をつくる生産業でありながら、食の安全、おいしい食べ方を提供するサービス業であると思います。食べてくださった方々から直接喜びの声をいただいたり、子どもの野菜嫌いがなおったなど、うれしいことがたくさんあります。

種蒔き（生産）から販売まですべて自分でできる仕事はそんなに多くありません。なおかつ、自分の家族にも安全でおいしいものを食べさせてあげられる。農業の魅力は無限大だと思います。「将来、こうありたい！」と願うことは必ず実現すると思います。

⑬ 長井農園・長井裕美《ひろみ》さん

わたしたちのハードだった移住・就農時代からなにかとお世話になり、親しいお付き合いをさせていただいてきた、就農して三〇年超という大先輩です。

飯田農園の移住期が「ビニールハウス時代」なら、長井農園の移住期は「貨車時代」。本書第Ⅰ部の「飯田農園誕生物語」に登場する「先輩就農者の中には、払い下げの貨車を二台つなげて、そこで二人の子どもと十数年生活してきたご夫婦もいらっしゃったので」というくだりは、なにを隠そう、この長井農園のことなのです。今は広々とした二階建てのお家にお住まいで、「苦しくても、頑張っていれば、いつかはちゃんとした暮らしができるのかもしれない」と、移住当時のわたしに希望を感じさせてくださる存在でした。

もう大きいお子さんが二人いらっしゃるとは思えないほど、いつも若々しい裕美さん。ご夫婦お二人の、温かい雰囲気が素敵です。

Q1 家族構成、就農年数を教えてください。

夫・英治、わたし、長女・香菜子（東京で祖父母と暮らす）、長男・恒介。就農して夫は三一年、わたしは二六年です。

Q2 就農のきっかけを教えてください。また、夫・妻どちら先導の就農ですか？

農的生き方で独立を考えていた主人と結婚したのがきっかけです。

Q3 就農の方法は？ また、転職組の方、構想から実行までにかかった時間は？

主人がたまたま売りに出ていた土地の情報を得て。農業のノウハウは、主人が「消費者自給農場たまごの会」というところで五年間専住スタッフとして働いて身につけ、地元の農業委員会に農業者として認めていただく手続きをして独立しました。

Q4 実際の就農にあたってもっとも困難だった点はなんですか？

就農当時（一九八五年）、このあたりでは他県から移住して新しく居を構えることすらめずらしく、まして農業を生業としていこうという考えも少数派であり、地元に知人も少なかったのでなかなかよい条件（土の質、車でのアクセス、広さ、日照など）の畑が借りられなかったこと。

Q5 就農前後の理想と現実のギャップはありますか？

正直いっちゃうと、わたしは「農業がやりたい！」という強い意志があったワケではありません。高校生の頃から漠然と将来やりたいことを考えると、「自分の生活全般に関わるいろいろを自分の手でつくり出したい」という欲張りな夢がありました。夢をかなえるには、そして生きていくにはお金が必要で、そこの部分は農作物で生計を立てようとなったワケです。

理想と現実のギャップに悩むという段階ではなく、何しろ一から自分たちの手であれやこれやを整備し、前進していくしかなかったというところでしょうか。田舎生活ド素人のわたしには、何が起きても初めてのことだらけで、毎日がお祭りさわぎのような楽しさでした。

Q6 一番好きな作業と一番嫌いな作業を教えてください。

好きな作業は草取り。草を取ってやると作物がのびのび清々した様子で、とてもよいことをした気分になります。どんな作業も意味があって（必要があって）やっていることなので嫌いというほどの作業はありませんが、しいていえば真夏のネギふせ（ネギの仮植）でしょうか。細い溝（片足しか入らないような三〇センチ幅くらいの溝）にネギの苗を一列に置いていきながら自分は後方へ移動していく。腰を曲げた姿勢でけっこう長い距離やるので「大変ダァー」と思う時があります。

Q7 現在の暮らしの一番の醍醐味は？

うーん、難しい質問ですね。自分に正直でいられる仕事をしていることかな。後ろめたさや自分にウソをついてやらされている感じを抱きながら、お金を得るために仕方なく、といった後ろ向きな要素のないところで働けている、生きていけるというところが醍醐味。

Q8 今後就農をめざす方にメッセージを！

どんどん就農してくださいね。ご自分の感覚にあったスタイル（売り方、つくり方、遊び方、学び方など）を見つけて、あせらずやってください。そろそろ就職する時期を迎えているわが家の子どもたちにも「これからは農業だヨ！」と本気で言っています。

あとがき

この本のタイトルに使われている「あぐりびと」という言葉は、農業を意味する「アグリカルチャー」と「人」という言葉を組み合わせて、わたしが勝手につくりあげた造語です。

第Ⅰ部「飯田農園誕生物語」に書いたように、わたしは夫が就農してから数年の間、自分の置かれた曖昧な立場にとまどい、「農業の道を選ぶことができなかったわたしは生産者ではない。だからわたしは農業の世界の人間ではない」という思いで、自分と農業の世界との間に境界線を引いていました。

しかし、否応なしに農家の主婦の立場となり、飯田農園の窓口として出荷する野菜に通信を添えたり、お客様からの問い合わせに対応したり、日々の生活の中で旬の野菜の味にふれ、時に田畑に出て季節の農作業の手伝いをするうちに、現代社会の都市部の暮らしと農業の現場があまりにかけはなれたものになってしまっていると感じるようになりました。

人々が「生産者」と「消費者」の二つに分かれ、お互いの世界に隔たりのあるまま、自分側に有利な条件を引き出し合う取引相手のような関係に陥っているように思え、消費者と生産者の間に立つわたしは、いつしか「つくる人も食べる人もみんなもっと仲良く、いろいろな人がそれぞれの立場から、自分たちの命を支える食料がつくられる現場に関心をもって、そこにある苦労や喜び、食べものがあることのありがたさ、自然の営みの奥深さを分かち合えたらいいのに」と強く感じるようになっていきました。

けれど、そんな思いで自分自身を振り返った時、パートナーが農業を営み、日々農園通信を書いて情報を発信している自分ですら、「わたしは農業の世界の人間ではない」などと心の中で思っている。わたしが農の側の人間でないならば、いったい、生産者以外の誰が農業に関係しているといえるのだろう、と思い当たったのです。

生産者だけが農業の世界の人ということではなく、農園の宅配野菜のお客様、出荷先の生活協同組合の加入者、野菜をさまざまな場所へ運ぶ流通業の人々、運ばれた先のスーパーで野菜を買う人、レストランや家庭でそれを調理する料理人やお母さん、そんな料理を食べて日々成長していく子どもたち、それぞれの立場から「農」に関心をもって関わるすべての人をひっくるめた言葉があったらいいのに……。

そうして思いついたのが、「あぐりびと」という言葉です。長い間「旅人」だったわたしたちが農業に出合って、この暮らしがある。それなら今のわたしたちは「あぐりびと」だ。わたしは生産者ではないけれど、毎月の通信を書き、季節の野菜で家族のごはんをつくる、そんな立場で農に関わる「あぐりびと」だ。そう考えることで、わたしは素直に農と自分を結びつけることができるようになりました。

わたしはこの暮らしが始まるまで、旬の野菜のことも、農業のこともほとんど知らずに育ってきました。それは、生まれ育った街での生活の中では、農業を身近に感じる機会になかなかめぐり合わなかったからだと思います。そしてこのことはきっとわたしだけの問題ではなく、きっかけさえあれば、もっと多くの人が農業に関心を寄せることができるはずです。どんな接点でもいい。そのままの自分の立場から農業の世界にちょっと関心を寄せること。その時から「あぐりびと」はどんどん増えていくのだと思います。

農業を知るということは、食を知るということ。食を知るということは、命の重みを知るということ。これからの日本にたくさんの「あぐりびと」が増えていったら、きっと未来はそれぞれの命の輝く、明るい希望の光に満ちていくでしょう。

そんな希望あふれる日本の姿を思い描きながら、この本の誕生にお力を貸してくださったすべての方、そしてこの本を手に取ってくださったすべての方に心からの感謝を捧げます。願わくば農業と人々との間に、たくさんの架け橋がかかっていきますように……。

二〇一一年一月

いいだかなこ

いいだかなこ（飯田可奈子）

1973年、神奈川県横浜市生まれ。

1996年、都留文科大学初等教育学科卒業（図工科専攻）。

同年、茨城県笠間市の窯元にて陶芸の弟子修業に入る。

1999年に結婚後、メキシコ、ペルーなどに滞在。

2001年、南米から帰国して長男を出産、茨城県新治郡八郷町（現石岡市）に一家で移住。

現在、2児の母。陶芸家として主に子どものうつわを制作し、夫の栽培する飯田農園の有機野菜とともに「パチャママ屋」の屋号でイベントなどにも出店。

いいだかなこのこどものうつわ
http://www.pachamama-ya.com

パチャママ的あぐりびと通信
http://blog.goo.ne.jp/pacyamama-ya/

◉装　幀
佐藤優子(SOYA)

◉本文デザイン・DTP
稲葉一徳

◉編集制作
江越美保

わたしがあぐりびとになるまで
——ゼロからの手づくり就農物語

2011年4月20日　初版第1刷発行

著　者　いいだかなこ
発行者　石垣雅設
発行所　野草社
東京都文京区本郷2−5−12　Tel. 03(3815)1701　Fax. 03(3815)1422
発売元　新泉社
東京都文京区本郷2−5−12　Tel. 03(3815)1662　Fax. 03(3815)1422

印刷・製本　萩原印刷
ISBN978-4-7877-1185-4　C0095